W0028036

Galia Ackerman

Tchernobyl, retour sur un désastre

Gallimard

Vole mon oiseau noir, pleure mon cœur,
les ténèbres viennent de recouvrir la Terre.
Il fait triste et gris dans le monde.

Janusz Korczak.

Introduction
Une affaire de vie ou de mort

Il y a quelques années, Paul Virilio a lancé l'idée d'un musée de la catastrophe [1]. Sans nécessairement partager sa vision apocalyptique de l'histoire et du progrès technique, la proposition me semble juste et nécessaire. Puisque les grandes catastrophes naturelles et industrielles font désormais partie de notre quotidien à l'échelle planétaire, il faut en effet les répertorier, les étudier, en garder le souvenir et en tirer des leçons, au même titre que les guerres ou les génocides. Et bien naturellement, les chercheurs trouveront une matière riche en étudiant non seulement les causes de ces divers drames, mais également la gestion des crises qui s'en sont suivies.

Chaque catastrophe étant par définition unique, celle de Tchernobyl, le 26 avril 1986, occupe une place tout à fait spéciale dans l'imaginaire collectif. En vingt ans, cet « accident

1. *Cf.* Paul Virilio, *Ce qui arrive*, Arles, Actes Sud/Fondation Cartier pour l'Art contemporain, 2002.

industriel majeur » du xxᵉ siècle est devenu un mythe et le symbole d'un mal inaccessible à nos sens : la radiation, capable de ronger la nature et les vies humaines, et de remettre en cause nos rapports au temps et à l'espace. Mais si nous souhaitons exposer Tchernobyl dans le musée conçu par Paul Virilio, qu'allons-nous y montrer ? Quelles légendes écrirons-nous sous les photos ? Quels films projetterons-nous ? Quels documents montrerons-nous ? Quels objets ? Quels tableaux ? Quelles informations transmettrons-nous aux visiteurs ?

Cette question, à première vue théorique, puisque le musée de la catastrophe n'existe pas encore, je me la suis posée avec acuité, lorsque le directeur du Centre de la culture contemporaine de Barcelone (CCCB), Josep Ramoneda, m'a demandé, en 2003, d'y monter une grande exposition consacrée à Tchernobyl [1]. C'est ainsi que j'ai été définitivement « happée » par le monde de Tchernobyl qui m'avait déjà effrayée et fascinée lors de mon travail sur la traduction du livre de Svetlana Alexievitch [2], *La Supplication*. Depuis, j'ai fait plusieurs voyages en Russie, en Ukraine et en Biélorussie, j'ai rencontré des dizaines, voire des centaines de personnes dans ces pays-là, mais aussi en France, en Suisse, aux États-Unis, j'ai recherché des photos, des

_____

1. Cette exposition, « Il était une fois Tchernobyl », se tient au CCCB du 17 mai au 8 octobre 2006.
2. Svetlana Alexievitch, *La Supplication* (traduit par Galia Ackerman et Pierre Lorrain), Paris, Jean-Claude Lattès, 1998

vidéos, des médailles et des costumes de liquidateurs, de vieux compteurs Geiger et des
masques à gaz, des coupures de presse, des
documents, des affiches, des textes inédits, des
dessins d'enfants, des œuvres d'artistes, des
pièces de musique, des brochures à l'intention
des populations des zones contaminées, des
recettes culinaires particulières, des blagues...
Mais surtout, à travers cette quête, j'ai essayé
de comprendre moi-même ce qui s'était passé
dans la nuit fatidique de l'accident et ce qui
avait été fait par les autorités soviétiques pour
« liquider » (terme officiel) les conséquences de
cette catastrophe.

La tâche s'est révélée très difficile, car dès le
début, les données précises ont été occultées
par les autorités soviétiques désireuses de sauver la face devant le monde extérieur et devant
leur propre peuple. Si le travail des liquidateurs
et les efforts du gouvernement ont été présentés
comme héroïques, en revanche, les données
médicales n'ont pas simplement été l'objet d'un
secret d'État, elles ont été d'emblée tronquées,
car les ordres émanant du Politburo et transmis par le ministère de la Santé de l'URSS
interdisaient aux médecins d'établir un rapport
entre diverses pathologies et l'irradiation, mis à
part les cas clairement diagnostiqués du mal
aigu des rayons qui étaient, bien évidemment,
assez exceptionnels. Par une série de décisions
gouvernementales, les taux d'irradiation « temporairement admissibles » furent relevés – les

normes étant augmentées de dix à cinquante fois –, et des centaines de milliers d'habitants concernés furent ainsi privées d'aide et de suivi. À ce jour, le nombre des personnes ayant pris part aux travaux de liquidation n'a pas été établi : les chiffres, selon les sources, varient entre 200 000 et plus de un million, ce qui n'a rien d'étonnant, car l'on sait que les registres de liquidateurs furent créés avec des années de retard et qu'ils sont restés incomplets.

Au fil des années, ce qui avait été à l'origine un enjeu politique (la volonté de minimiser l'impact de la catastrophe) se transforma en une multitude d'intérêts financiers souvent opposés. D'un côté, les autorités des trois pays, la Russie, l'Ukraine et la Biélorussie modifièrent périodiquement les critères d'accès aux allocations et autres formes de soutien aux victimes de Tchernobyl, afin de diminuer le nombre des bénéficiaires. De l'autre, les autorités ukrainiennes et biélorusses menèrent tambour battant des campagnes à l'étranger, afin d'obtenir elles-mêmes plus de financements de la part d'organismes internationaux et d'ONG, tout en les canalisant au profit de budgets nationaux, dans des conditions rarement transparentes. Dans la misère ambiante du monde postcommuniste, alors que de vrais héros de la liquidation, aujourd'hui malades ou handicapés, restent souvent oubliés, des personnes peu scrupuleuses arrivent à tirer des avantages du statut de liquidateur, mérité ou non, en brouillant ainsi les statistiques et notre perception du drame. Tchernobyl est également devenu un champ de bataille entre les pro- et les antinucléaires en Occident, de sorte que les chiffres avancés, par exemple, dans le dernier rapport de l'ONU sur la catastrophe, présenté à Vienne en septembre 2005, ont été immédiatement attaqués par plusieurs associations écologistes, comme Greenpeace ou Bellona.

Dans ces conditions, une reconstruction historique n'est pas facile. Parallèlement à mon travail sur l'exposition, j'ai essayé de présenter dans ce livre, de façon simple et succincte, les prémices et le déroulement de la catastrophe, et surtout, l'épopée de la « liquidation ». Pour cela, je suis retournée, en premier lieu, vers les sources de langue russe. En effet, à partir de 1989, la politique de la *glasnost* – mot généralement traduit par « transparence », mais qui dit plutôt une volonté de « publicité » – lancée par Mikhaïl Gorbatchev a commencé à porter ses fruits : sous la pression d'organisations écologiques soviétiques, le sceau du secret couvrant Tchernobyl fut brisé, et même les protocoles confidentiels du Politburo concernant la gestion de la catastrophe furent publiés. Mais en relisant cette masse de sources écrites, j'ai dû frayer mon chemin entre des données contradictoires, des intérêts opposés, des doctrines diverses, tout en m'appuyant, pour me guider, sur des entretiens avec les divers acteurs de cet énorme événement [1], sur mes propres impressions des lieux et des gens [2], sur le matériel visuel, etc. En confrontant des images et des textes, il a été possible de reconstituer des histoires inédites.

J'ai mis un accent particulier sur la conduite du nucléaire en URSS – en tant que symbole de la puissance du régime – et sur la gestion de cette catastrophe aux conséquences incommensurables qui a montré, comme dans un miroir grossissant, la quintessence même de la société soviétique. Toute l'histoire de l'URSS se présente comme une suite de drames terribles : guerres, famines, purges, persécutions ; mais également comme une suite de succès et de « grandes réalisations » : consolidation de l'empire sous l'égide communiste, industrialisation, victoire dans la Seconde Guerre mondiale, transformations gigantesques de la nature, conquête spatiale, constitution d'un « camp » de pays socialistes. Ces drames et ces victoires sont indissociables. Fort d'une idéologie nouvelle

---

1. Quelques-uns de ces entretiens sont publiés dans *Les Silences de Tchernobyl* (nouvelle édition augmentée, sous la direction de Galia Ackerman, Guillaume Grandazzi et Frédérick Lemarchand, Paris, Éd. Autrement, 2006). Notamment, des conversations avec l'académicien Vassili Nesterenko et le professeur Georges Lochak sur les causes de l'accident ; avec Mikhaïl Gorbatchev sur sa gestion de la catastrophe ; et avec l'académicien Dimitri Grodzinski sur les conséquences pour la flore et la faune des régions contaminées.
2. *Cf.* mon article « Une promenade à Tchernobyl » dans la revue *Le Meilleur des mondes*, nº 1, février 2006 (Denoël).

qui prônait le dévouement total du citoyen à sa patrie socialiste, l'État sacrifiait ses sujets, par milliers ou par millions, selon les circonstances, pour assurer sa marche glorieuse vers un avenir radieux et briser toute velléité de résistance chez ceux qui ne voulaient pas marcher au pas.

C'est aussi ce qui s'est produit à Tchernobyl : le pouvoir disposait d'une « chair à canon » en quantité illimitée pour « réparer » au plus vite les dégâts dont beaucoup se sont révélés irrémédiables. J'ai également essayé de démontrer le mécanisme de prise de décisions dans une société encore totalitaire au moment de la catastrophe : comme le révèle la lecture des protocoles secrets du Politburo, la relation entre les autorités et les experts dans la gestion de la catastrophe était complexe. Les autorités voulaient « liquider » les conséquences au plus vite, rouvrir la centrale accidentée ne pas perdre de prestige sur la scène internationale. Mais elles dépendaient des experts, notamment des grands académiciens qui faisaient partie de l'élite gouvernante. De leur côté, ces experts tentaient d'« optimiser » les données et de proposer des solutions allant dans le sens des désirs de la direction [1]. C'est ainsi que s'est créé un cercle vicieux qu'il n'a pas été donné à Mikhaïl Gorbatchev de rompre malgré ses louables intentions.

---

1. Les avis contraires de certains scientifiques, comme le professeur Vassili Nesterenko, ne furent même pas transmis aux instances supérieures.

Certes, on peut reprocher à la plupart des gouvernements des États occidentaux leurs silences ou leurs actes irresponsables, voire criminels, dans la gestion de certaines situations critiques (pour la France, il suffit de citer l'occultation des conséquences du passage du « nuage de Tchernobyl » ou l'affaire du sang contaminé), mais dans ces pays, de tels comportements des élites bureaucratiques sont contrecarrés par la société civile. La gestion des catastrophes devient bien plus catastrophique, si l'on peut dire, dans des pays autoritaires ou totalitaires, car la société civile y est privée de moyens d'action, quand elle n'est pas inexistante. L'histoire de Tchernobyl montre que la liberté de parole peut être littéralement une affaire de vie ou de mort.

1

De l'ampoule de Lénine
à la centrale de Tchernobyl

Dès son instauration, le régime communiste a été obsédé par des idées de domination et de puissance : les bolcheviks rêvaient de devenir non seulement les maîtres des hommes, mais aussi de la nature, les maîtres de l'univers. « Le communisme, c'est le pouvoir soviétique plus l'électrification de tout le pays », proclama Lénine en 1920 en ordonnant la création de la GOELRO, une commission d'État chargée de la mise en œuvre d'un programme d'électrification pour les dix à quinze années à venir. Au-delà des besoins réels de l'industrie, l'électrification était porteuse d'un message hautement symbolique : les communistes donnaient la lumière au peuple. Une simple ampoule électrique – un objet que la propagande appelait « ampoule de Lénine » – produisait un effet magique sur des paysans illettrés.

En quelques décennies, grâce à la construction de centrales thermiques et hydroélectriques, l'URSS s'est hissée au deuxième rang mondial en matière de production d'électricité, derrière les États-Unis. De l'utilisation de détenus du Goulag, sous Staline, à l'exploitation de jeunes komsomols dans les « chantiers du communisme », sous Khrouchtchev et Brejnev, tous les moyens étaient bons pour fournir une main-d'œuvre très peu coûteuse à des projets colossaux comme, par exemple, ceux des centrales hydroélectriques du Dniepr ou de Bratsk. Après Lénine et Staline, Nikita Khrouchtchev reprit le flambeau. Le programme qu'il lança en 1961 en vue de construire le communisme en vingt ans affirmait le rôle prioritaire de la production d'électricité par rapport aux autres industries : entre 1961 et 1970, la production annuelle allait plus que doubler pour atteindre près de 1 000 milliards de kilowatts/heure ; et vers la fin de la deuxième décennie – l'heureux moment de l'entrée présumée de la population soviétique au paradis communiste sur Terre –, elle était censée atteindre 2 700 à 3 000 milliards de kilowatts/heure. C'est dans ce contexte de conquête de la nature et d'acquisition de la toute-puissance énergétique, gage de la toute-puissance tout court, qu'il faut interpréter la construction de centrales nucléaires dès 1954. À l'époque, elles n'étaient ni rentables ni indispensables sur le plan pratique : l'URSS disposait de suffisamment de réserves naturelles d'hydrocarbures, sans même parler de son exceptionnel réseau fluvial, pour assurer ses besoins énergétiques pendant au moins un siècle. À la fin des années 1950, lors d'une réunion au Kremlin, l'académicien Igor Hourtchatov souligna, dans

son discours, qu'à court et à moyen termes l'utilisation de l'énergie nucléaire ne présenterait
guère d'avantages. « Pendant une trentaine
d'années, ce ne sera qu'une expérience coûteuse », constata alors le « père » de la science
nucléaire soviétique.

Selon les Mémoires de Sergo Beria, son père
Lavrenti, le tout-puissant chef du NKVD,
s'intéressa au projet nucléaire en 1939, après
avoir reçu de la part de Frédéric Joliot-Curie
des documents sur les efforts français dans ce
domaine. Bien sûr, à l'époque, nul ne songeait
à une application pacifique de l'atome. La
menace hitlérienne était réelle, mais le Politburo considéra, justement, que l'échéance de la
guerre était trop proche pour s'investir dans
une recherche longue et coûteuse menant à
la fabrication de bombes nucléaires. Par
conséquent, on ne s'orienta vers la fabrication
de la bombe qu'en 1943, lorsque Staline eut
appris que les Américains, les Britanniques et
les Allemands travaillaient sur ce projet. Le
11 février 1943, Staline créa un comité spécial
chargé de la production d'énergie atomique à
des fins militaires. Et c'est à Lavrenti Beria
qu'incomba la tâche ardue de faire fabriquer la
bombe A puis la bombe H soviétiques. Car ce
bourreau stalinien était un remarquable organi-
sateur qui sut gérer très efficacement l'industrie
d'extraction de l'uranium, laquelle fonctionnait
essentiellement grâce aux prisonniers du Goulag (cette tradition perdura jusqu'à la fin du

régime soviétique) ; obtenir des informations sur l'avancement des travaux aux États-Unis via un réseau d'agents et de sympathisants ; faire kidnapper des scientifiques allemands réfugiés après la Seconde Guerre mondiale dans la zone américaine en Allemagne ; enfin, coordonner la recherche concentrée, pour une partie, dans des instituts-prisons dénommés des *charachka*, décrits par Alexandre Soljenitsyne dans *Le Premier Cercle*, où ces savants allemands travaillaient main dans la main avec leurs infortunés collègues soviétiques.

Grâce à l'incomparable efficacité de Beria, qui sut exécuter l'ordre de Staline dans un pays exsangue après la guerre, les premiers essais de la bombe A eurent lieu en septembre 1949. Ils furent suivis de travaux de perfectionnement de l'arme nucléaire et de la création d'une flotte nucléaire sous-marine. C'est pour la production de plutonium militaire que l'on créa le réacteur à tubes de force, le prototype du RBMK [1] ; quant aux besoins de la flotte, ils exigèrent la fabrication d'un engin qui servit de prototype au VVER [2].

---

1. RBMK : *Reaktor Bolchoï Mochtchnosti Kanalnyï* (réacteur de grande puissance à tubes de force). Hormis la centrale de Tchernobyl, où fonctionnaient quatre réacteurs de ce type, ces modèles sont à ce jour en service dans trois centrales russes (Leningrad, Koursk, Smolensk), ainsi qu'au deuxième bloc de la centrale d'Ignalina en Lituanie (son premier bloc a été fermé le 31 décembre 2004).
2. VVER : *Vodno-Vodianoï Energetitcheski Reaktor* (réacteur énergétique à eau). Ce type de réacteur, plus récent, s'apparente aux réacteurs occidentaux REP (réacteur à eau sous pression).

En pleine guerre froide, la toute petite centrale nucléaire expérimentale inaugurée en 1954 à Obninsk, près de Moscou, représentait peu de chose en comparaison du volume d'essais nucléaires et thermonucléaires réalisés dans les années 1950. D'emblée, le nucléaire civil en URSS ne fut qu'un dérivé du militaire, ce qui ne l'empêcha pas de prendre, dans les décennies à venir, une importance idéologique considérable. Il ne faut donc pas s'étonner que sa gestion ait été frappée du sceau du secret et subordonnée à la même logique que celle du nucléaire militaire : seuls les résultats comptaient.

La sécurité du personnel et des populations civiles était négligée, tout comme la protection de l'environnement. Le financement des études concernant ces questions était systématiquement relégué au second plan. Le secret entourait non seulement les aspects techniques de la recherche dans le domaine de l'énergie nucléaire civile ou du fonctionnement des centrales, mais aussi des secteurs tels que la radiobiologie ou les traitements médicaux des irradiés. Qui plus est, le même secret régissait de nombreuses villes (dont certaines ne figuraient sur aucune carte géographique) et des régions entières de l'URSS où les étrangers n'étaient pas admis, et dont les habitants ne pouvaient pas sortir du pays ni même de leur zone d'habitation sans autorisation spéciale. Jusqu'en 1990, 11 % du territoire soviétique était « interdit » – une étendue qui représentait, en chiffres absolus, pas moins de 2,5 millions de km², soit quatre fois et demie la France !

Cette tradition du secret fut maintenue sous Mikhaïl Gorbatchev jusqu'en 1989-1990, malgré la proclamation de la *glasnost* par le nouveau chef d'État soviétique. Le 19 mai 1985, Anatoli Maïorets, le ministre de l'Énergie et de l'Électrification, rédigea une circulaire explicite à l'attention de ses services : « Les informations sur les conséquences écologiques des installations énergétiques (effets des champs électromagnétiques, irradiation, contamination de l'air, de l'eau et du sol) sur le personnel opérationnel, la population et l'environnement, ne seront pas relayées ouvertement dans la presse, à la radio et à la télévision. »

C'est ainsi que, sans en avertir les populations riveraines, le gigantesque combinat « chimique » du complexe militaro-industriel de l'Oural, *Maïak*, qui produisait en réalité du plutonium militaire, rejetait des déchets nucléaires dans la rivière Tetcha qui prend sa source dans le lac Kyzyl-Tach et dont les eaux arrivent, à travers les bassins de quelques grands fleuves dont l'Ob, jusqu'à l'océan Arctique. Entre 1949 et 1956, ce combinat déversa dans les eaux de la Tetcha, sans aucun traitement préalable, 76 millions de m³ de déchets radioactifs liquides dont l'activité des émissions bêta représentait au total plus de 2,75 millions de curies.

L'accumulation des matières radioactives à proximité du combinat atteignit un tel niveau, qu'en septembre 1957 une explosion, dont on ne connaît pas la nature exacte (explosion nucléaire ou explosion chimique qui provoqua la destruction d'un énorme site de stockage de déchets nucléaires), se produisit près de Tcheliabinsk-40, l'une de ces villes « interdites » de l'Oural dont la population travaillait pour la plupart à *Maïak*. Un mélange de radionucléides, dont l'activité représentait près de 20 millions de curies, fut projeté dans l'atmosphère. Le nuage radioactif passa au-dessus des régions de Tcheliabinsk, Sverdlovsk (la plus grande ville de l'Oural, qui a aujourd'hui repris son nom originel, Ekaterinbourg), Tioumen. Près de 23 000 km² ont été pollués. Sur 272 000 habitants de 217 localités contaminées, seuls 10 000 furent discrètement relogés, dont la plupart un à trois ans après l'explosion. Mais tout de suite après l'accident, les populations ne reçurent aucune information ni aucune aide ; seuls les abords immédiats de l'explosion furent entourés de barbelés et soumis à une désactivation [1]. Cependant, grâce au bouche à oreille, les habitants de Tcheliabinsk-40, ainsi que ceux de Kasli, Aïargach, Kychtym (petites villes des environs) et même de Sverdlovsk, furent saisis de panique. Les plus débrouillards parvinrent à quitter les lieux, une aventure très

---

1. C'est seulement en 1958 que 59 km² furent interdits à l'exploitation agricole dans la région de Tcheliabinsk et 47 km² dans celle de Sverdlovsk – où cette prohibition n'a d'ailleurs duré que deux ans.

hasardeuse pour des gens tenus par « le secret ». Vladimir Tchervinski, un ingénieur qui avait travaillé pendant trente-deux ans dans les entreprises de *Sredmach*[1] dont *Maïak,* témoigne : « J'ai travaillé dans un milieu radioactif du 23 mai 1951 au 16 février 1952. J'ai vu pendant cette période des prisonniers politiques qui bûchaient dans des territoires contaminés, dans des conditions atroces. Ils creusaient des tranchées à la pelle, en inspirant de la poussière radioactive, puis mangeaient et dormaient sans changer de vêtements... Au cours de ces quelques mois, j'ai accumulé 51 rems[2]. Je me sentais mal. J'ai dû démissionner et me trouver un travail facile, celui de gardien. Au moment de l'explosion nucléaire de 1957, j'étais de service. Le ciel rayonnait de rouge, partout. Plus tard, le journal *Tcheliabinski rabotchi* a écrit que c'était une aurore boréale. Quel cynisme ! »

------

1. Sredmach : abréviation de *Ministerstvo srednego machinostroïeniïa* (ministère des Constructions mécaniques moyennes). C'était le nom de code d'une énorme structure qui gérait le complexe militaro-industriel soviétique, dont l'industrie nucléaire.
2. Rem : unité de mesure de dose de rayonnement ionisant (1 rem = 0,01 sievert). On considère qu'un adulte qui utilise des équipements rayonnants comme le téléviseur ou l'ordinateur et qui passe des examens médicaux réguliers comme des radios, etc., accumule au cours de sa vie près de 25 à 28 rems. La limite de la dose individuelle pour la vie humaine, définie par le ministère de la Santé soviétique en 1988, après la catastrophe de Tchernobyl, est de 35 rems. Au-delà de cette dose absorbée par un individu, une évacuation est recommandée.

La troisième contamination de la même région date de 1967. L'assèchement des rives du lac Karatchaï, près de *Maïak*, utilisé comme un site de stockage de déchets nucléaires liquides sous ciel ouvert, provoqua une dispersion importante de poussière radioactive. À la suite de ces trois « épisodes » nucléaires dans l'Oural du sud, 437 000 personnes au total ont été irradiées, sans qu'un seul mot de cette tragédie pénétrât dans les médias.

Les militaires n'étaient pas mieux traités que les civils. Semipalatinsk au Kazakhstan, le polygone Totski au sud de l'Oural, la Nouvelle-Zemble... Tels sont les noms sinistres des endroits où l'armée soviétique réalisait des essais nucléaires terrestres, aériens, sous-marins. L'ancien pilote du régiment n° 991 SS (*soverchenno sekretno* – top secret), Sergueï Ossotchouk, qui a servi entre 1956 et 1958 en Nouvelle-Zemble, racontait en 1995 : « Nous avons dû signer un document par lequel nous nous engagions à ne pas divulguer, au cours des vingt-cinq années suivantes, le secret d'État que constituait notre travail. Presque tous mes collègues de l'époque sont tombés gravement malades. Un grand nombre d'entre eux sont déjà morts. Ne pouvant supporter la souffrance physique et la solitude, certains se sont suicidés... Mais les anciens n'ont jamais partagé avec personne leurs souvenirs amers, et même les médecins n'étaient pas au courant des véritables causes de leurs maladies incurables. »

Pour ce qui est des centrales nucléaires, leur gestion souffrait des mêmes maux que toute l'économie soviétique. Bien que supervisées par l'Institut de l'énergie nucléaire Kourtchatov de Moscou, leur construction et leur exploitation se trouvaient en fait entre les mains des apparatchiks du Parti. Or pour ces apparatchiks, seule la réalisation des plans quinquennaux importait. Le Politburo avait ordonné de développer la prestigieuse énergie nucléaire, de la mettre « au service de la paix », d'augmenter la puissance énergétique du pays. On construisait à la va-vite, sans investir suffisamment dans la préparation de cadres compétents. Détail poignant : pendant de longues années, y compris après Tchernobyl, le nucléaire civil ne disposait que d'un seul local de simulation pour l'entraînement des opérateurs, situé dans la centrale de Novovoronejsk, construite en 1978.

Ce furent également des impératifs politiques qui définirent, vers le milieu des années 1960, le choix du réacteur RBMK en tant que modèle prioritaire pour les centrales soviétiques – et cela, même si ce réacteur affichait des défauts structurels qui pouvaient se révéler fatals à la suite d'une erreur humaine. Idéologiquement, la direction soviétique se voyait contrainte de répondre immédiatement au défi lancé par les États-Unis qui annoncèrent, à cette époque, avoir accompli une « percée historique » avec la construction de grandes centrales nucléaires à usage commercial. Or l'industrie soviétique n'était pas prête à produire rapidement les équipements de haute qualité nécessaires pour un réacteur de type VVER, alors que la science soviétique avait élaboré le procédé permettant d'obtenir le graphite d'une pureté absolue indispensable pour les réacteurs RBMK. Même les considérations économiques furent repoussées à l'arrière-plan : les spécialistes du nucléaire savaient pertinemment que l'exploitation de réacteurs de type RBMK était bien plus coûteuse que celle de réacteurs de type VVER. Mais rien n'y fit : au nom du slogan lancé par Nikita Khrouchtchev, « Rattraper et dépasser les États-Unis ! » on opta pour le RBMK, testé par les militaires dès 1946. Un réacteur qui, de plus, pouvait développer une puissance redoutable. La catastrophe de Tchernobyl était en quelque sorte désormais programmée.

La liste des accidents graves survenus dans des centrales nucléaires soviétiques avant le 26 avril 1986 est relativement longue. À l'exception d'une vague allusion dans la *Pravda* en 1982, aucun de ces onze accidents, sans compter des centaines d'incendies, ne fut rendu public. Ainsi, un accident semblable à celui de Tchernobyl se produisit en 1975 dans la centrale de Leningrad équipée, elle aussi, de réacteurs RBMK. Après la destruction partielle du cœur d'un réacteur, on réussit à arrêter l'émission de matières radioactives grâce à l'injection massive d'hydrogène liquide ; mais un million et demi de curies de radionucléides hautement radioactifs avaient été « lâchés » dans l'atmosphère, sans que la population de Leningrad – aujourd'hui Saint-Pétersbourg –, ne se doutât de quoi que ce soit. Le règne du secret était tel que même les opérateurs des centrales n'étaient pas informés de ce genre d'incidents fâcheux. La direction de celle de Tchernobyl reçut le rapport sur celui de Leningrad, mais il resta dans les tiroirs de la « première section » (en clair, d'une antenne du KGB). Ce que Vladimir Tchervinski explique d'une phrase : « Nous avons reçu Tchernobyl directement des mains de Beria. »

2
Le site du drame et ses environs

C'est le chef du PC ukrainien, Piotr Chelest, qui eut l'initiative de construire une centrale nucléaire en Ukraine. À regarder des vieilles photos de Chelest d'avant la chute de Nikita Khrouchtchev en 1964, ce dirigeant ukrainien lui ressemblait comme un frère jumeau : un phénomène de mimétisme dont il devait apparemment se faire pardonner auprès du nouveau Politburo brejnévien en faisant preuve d'un zèle tout particulier. C'est donc Chelest qui a proposé à Moscou de développer l'énergie nucléaire en Ukraine et qui a fait pression pour accélérer la décision du Centre.

Le 29 septembre 1966, l'arrêté gouvernemental n° 800-252 sous le sigle SS (strictement confidentiel) fixa le plan de construction des centrales nucléaires en URSS pour la période de 1966 à 1977, dont la future centrale de Tchernobyl. On se mit en quête d'un emplacement. Mais les critères de choix d'un site pour une centrale nucléaire n'existaient pas encore à cette époque; on ne les établira qu'en octobre 1987. Entre-temps, on se contenta d'une instruction obsolète de 1952 régissant la construction de grands « objets industriels ». Une « fièvre nucléaire » s'empara de la direction ukrainienne : en un mois, on examina seize emplacements et l'on s'arrêta sur celui de Kopatchi (un village à proximité immédiate de la future centrale), malgré les normes internationales et le simple bon sens : en effet, le site de la future centrale était situé sur la ligne de rupture d'un plateau de granit, dans un sol sablonneux et humide, au sein d'un réseau fluvial important (Pripiat, Dniepr et Desna) et à une distance d'environ cent kilomètres seulement de la capitale ukrainienne, peuplée de trois millions d'habitants. Le 2 février 1967, un arrêté commun du Politburo ukrainien et du Conseil des ministres de l'Ukraine, strictement confidentiel lui aussi, entérina cette décision.

Cependant, Moscou n'était nullement pressé. Brejnev et Kossyguine tergiversaient, tandis que Chelest et Chtcherbitski insistaient [1]. Finalement, la construction de la centrale commença en 1970, mais en 1971, le plan annuel n'était réalisé qu'à 45 %. C'est alors qu'en 1972, le Comité central des jeunesses communistes de l'URSS proclama « le chantier de choc des *komsomols* ». Face à un manque de personnel

---

1. Alexeï Kossyguine, président du Conseil des ministres de l'URSS de 1964 à 1980 ; Vladimir Chtcherbitski, président du Conseil des ministres de l'Ukraine de 1965 à 1972.

qualifié, les comités régionaux des *komsomols* de tout le pays se mirent à envoyer au chantier des jeunes gens en les incitant à travailler à la « façon Kortchaguine ». De nos jours, la jeune génération ukrainienne aurait du mal à déchiffrer cette phrase. Kortchaguine est le personnage principal de *Et l'acier fut trempé*, roman autobiographique de Nikolaï Ostrovski ; à moitié aveugle et paralysé, il dirige héroïquement, en 1921, la construction d'un chemin de fer reliant Kiev à Polessié, pour livrer du bois de chauffage à la population de la capitale avant l'hiver, car les mines de charbon de Donbass étaient inondées pendant la guerre civile.

L'appel à s'inspirer d'un des premiers héros de la littérature du réalisme socialiste était d'autant plus pathétique qu'il n'y avait aucune urgence, à part les ambitions de la direction ukrainienne, qui aurait justifié de bâcler la construction. D'ailleurs, on alternait des « percées » et des périodes de temps mort à cause d'un manque d'équipements (le temps mort pour les excavatrices atteignait ainsi 32 %). Et 31 % des postes d'ingénieurs étaient occupés par des gens qui n'avaient pas la formation correspondante. Un certain Kourotchkine, ancien régulateur du métro, dirigea les travaux de construction. Un spécialiste de l'agroalimentaire, Misnik, devint directeur de l'usine qui livrait sur le chantier les éléments en béton armé.

Selon les directives du XXIVe Congrès du PCUS, le premier réacteur de la centrale devait être mis en marche en 1975. Mais malgré les invectives du Politburo ukrainien, il ne fut inauguré qu'en 1977. Puis le rythme s'accéléra. Le deuxième réacteur fut lancé en janvier 1979, le troisième, en décembre 1981, et le quatrième, en décembre 1983. En avril 1980, pour marquer le 110e anniversaire de la naissance de Lénine, la centrale reçut son nom. Avec le lancement du quatrième réacteur, la centrale de Tchernobyl, d'une capacité annuelle globale de 4 000 mégawatts, devint la plus importante de l'URSS et l'une des plus puissantes au monde. Mais les mégalomanes soviétiques n'avaient nullement l'intention de se reposer sur leurs lauriers. En 1981, on posa les fondations du cinquième et du sixième réacteurs. Le cinquième devait être mis en exploitation en 1986. Aujourd'hui, on les voit souvent sur les photos, inachevés, entourés de grues. On eut même le temps de poser les fondations du septième et du huitième, sur les *douze* qui avaient été planifiés. Seule la catastrophe de Tchernobyl, bientôt suivie par l'éclatement de l'URSS, mit fin à cette folie des grandeurs.

Ceux qui n'ont jamais eu l'occasion de visiter une centrale nucléaire ne le soupçonnent peut-être pas, mais à part les bâtiments abritant les réacteurs et leurs salles de commande, un tel site représente une infrastructure énorme et complexe. La construction de la centrale de Tchernobyl s'est faite par tranches comprenant chacune deux « blocs énergétiques », c'est-à-dire

deux réacteurs du type RBMK reliés à une
gigantesque salle des turbines. Chaque réacteur était placé dans une cuve, à l'intérieur d'un
puits bétonné recouvert d'un couvercle devant
servir de protection biologique. C'est là que des
grappes de tubes remplis d'uranium 235 étaient
enfoncés dans une masse de graphite et arrosés
d'un caloporteur qui, pour ce type d'engin,
est tout simplement de l'eau. Les dimensions
du cœur du réacteur, sa zone active, faisaient
7 mètres de hauteur sur 12 mètres de diamètre.
Et l'ensemble de cet appareil s'appuyait sur une
grosse dalle de béton sous laquelle était situé
un bassin « barboteur ». À côté des blocs et de
leurs salles des turbines, il y avait des installations de stockage de déchets radioactifs liquides
et solides, un réseau de transformateurs, des
générateurs de réserve à diesel, des installations hydrauliques et autres, des stations de
pompage, des bâtiments administratifs. À vue
d'œil, il s'agissait d'un terrain occupant plusieurs
kilomètres carrés. Quant à la source d'approvisionnement en eau pour les quatre premiers
blocs, elle était constituée par un réservoir de
refroidissement de 22 km^2, créé artificiellement
grâce au détournement partiel des eaux de la
rivière Pripiat.

Parallèlement à la construction de la centrale
on érigea une ville nouvelle, Pripiat (d'après le
nom de la rivière), située littéralement en bor-
dure du site nucléaire. Cette ville destinée à
loger le personnel de la centrale, ainsi que des

spécialistes participant à sa construction et le personnel du secteur éducatif, médical et des services, comptait au moment de l'accident près de 49 000 personnes. C'était une ville privilégiée qui jouissait d'un bon approvisionnement en produits alimentaires et autres biens de consommation courante, qui disposait de crèches et de cliniques, de bibliothèques et de restaurants, de cinémas et d'un beau complexe sportif. Or il ne faut pas oublier que dans les années 1970 et 1980, les pénuries étaient chroniques dans toute l'Union soviétique. Un photographe de Kiev, Vassili Piassetski, a conservé les clichés de cette ville qu'il avait pris à la fin des années 1970 : des enfants qui font du ski de fond au centre-ville, entre les immeubles ; des femmes qui se promènent dans les rues avec des landaus ; des hommes qui participent au marathon. Des gens souriants, confiants, contents. Si l'on mesure son propre bonheur en le comparant à celui des voisins, les habitants de Pripiat pouvaient se considérer fort heureux. Car en plus des bonnes conditions de travail et de vie, ils avaient à portée de main une nature merveilleuse : des forêts où il était si agréable de se promener, de cueillir des champignons, et la rivière où l'on se baignait en été et pêchait toute l'année. À ce jour, les habitants de cette ville devenue fantôme pour l'éternité en ont une nostalgie qui s'exprime sur leur site Internet [1].

---

1. http ://www.pripyat.com

En arrivant sur le site de la centrale, on aperçoit au loin une sorte de gigantesque grillage dont la destination semble totalement incompréhensible. Si un étranger, journaliste ou scientifique en visite de la zone, demande à ses accompagnateurs des explications, il risque d'entendre une réponse fort moqueuse : « Avant l'accident, on utilisait ce grillage pour planter le houblon. » La réalité est bien différente. Un autre photographe de Kiev, Valéry Krymtchak, détient des photos prises à bord d'un hélicoptère, jamais publiées, de cet « objet » militaire qui semble sorti droit de la « Guerre des étoiles », qu'il s'agisse du film de George Lucas ou du projet de bouclier anti-missiles de Ronald Reagan. À part le « grillage » qui fait 130 mètres de haut et près de un kilomètre de long, on y voit une autre installation formée d'un groupe de grandes constructions bizarres disposées en cercle de plusieurs centaines de mètres de diamètre [1]. Cet ensemble s'appelait « Tchernobyl-2 » – nom de code qui désignait une « station du radar de détection précoce de fusées intercontinentales ». La centrale elle-même étant un site stratégique dans une zone interdite, c'est en toute logique que les militaires ont monté là leur propre installation secrète.

Au sommet russo-américain de Genève, en automne 1985, Mikhaïl Gorbatchev, bien que désireux déjà d'arrêter une course aux

---

1. Entretien avec l'auteur.

armements ruineuse, montre encore les dents.
Dans ses Mémoires, il commente sa rencontre
avec Ronald Reagan : « Si les Américains restaient sourds aux arguments de bon sens et
n'entendaient pas nos appels à la recherche de
solutions pour arrêter la course aux armements
[...] il ne nous resterait pas d'autre choix que de
relever le défi. Je dois avouer que nous disposions déjà des principes d'une réponse [...].
Même aujourd'hui [en 1995], il m'est impossible de révéler certains faits. Je peux néanmoins
dire que notre réponse potentielle à l'IDS [1]
n'avait rien d'un bluff. »

Il se peut que la mystérieuse station radar ait
fait partie de la riposte soviétique, tout comme
un autre projet très ambitieux. Le professeur
Vassili Nesterenko, ancien directeur de l'Institut
de l'énergie nucléaire de Biélorussie (comme il
n'y avait aucune centrale nucléaire dans cette
république, il est clair d'emblée que l'établissement en question travaillait sur des projets
militaires), assure qu'il a dirigé, à partir de 1963,
un projet baptisé « Pamir » visant à créer des centrales nucléaires mobiles pour desservir les
lancements de fusées intercontinentales à partir
de sites insolites, dans la haute montagne, par
exemple [2]. Cent dix usines, laboratoires et insti-
tuts de recherche à travers l'Union soviétique
participaient à cette entreprise, et les centrales

---

1. Abréviation du nom du programme américain : Initiative de défense stratégique.
2. *Cf. Les Silences de Tchernobyl, op. cit.*

mobiles, transportables par des poids lourds
« mille-pattes », en étaient déjà à leurs derniers
tests avant leur mise en œuvre, lorsque survint le
désastre de Tchernobyl.

La station du radar cessa de fonctionner le
jour de la catastrophe : ses instruments électroniques de haute précision se sont totalement
« affolés » dans le flux des radiations ionisantes.
Quant au projet du professeur Nesterenko,
qu'abandonna sa carrière scientifique pour se
consacrer à la radioprotection des populations
sinistrées, il fut également abandonné, faute de
moyens et de spécialistes qualifiés, car ils
étaient mobilisés pour combattre les conséquences de Tchernobyl. On peut même se
demander si ce n'était pas à la suite du malheur
ayant frappé son pays que Mikhaïl Gorbatchev
appliqua dans les faits la soi-disant « nouvelle
pensée », et qu'il s'employa à mettre ainsi fin au
monde bipolaire.

3
Dans l'enfer nucléaire

Les prémices du plus grave accident industriel de la planète ont été préparées la veille. Ce
jour-là, le 25 avril 1986, le personnel de la centrale de Tchernobyl s'apprêtait à arrêter le
réacteur pour des travaux de maintenance
périodiques. Moins de 200 tonnes de dioxyde
d'uranium se trouvaient encore dans le réacteur, relativement vide, car près de 75 % du
combustible d'origine avait déjà été consommé.
Mais avant de procéder à l'arrêt, le personnel
était censé réaliser une expérience pour étudier
comment utiliser l'électricité résiduelle produite
par la rotation des pales de turbines en cas
d'une panne électrique générale. L'idée était
d'assurer, grâce à cette électricité résiduelle, le
fonctionnement des pompes faisant circuler le
caloporteur à travers le cœur du réacteur : si les
pompes s'arrêtaient, le cœur aurait « fondu ».
Qui plus est, il s'agissait d'envisager une situation « extrême » où la panne d'électricité se
produirait simultanément avec une rupture du
conduit d'eau dans le contour du réacteur.

Ce n'était pas la première expérience de ce type réalisée à la centrale, mais cette fois, le test était censé aller plus loin. Il devait durer près de quatre heures, avec notamment la mise hors circuit du système de refroidissement urgent du cœur. Pour obtenir l'autorisation de conduire ce test, le directeur de la centrale, Viktor Brioukhanov, en avait envoyé, en janvier 1986, le programme au Comité d'État à la sûreté nucléaire, le *Gosatomnadzor*, ainsi qu'à d'autres instances concernées, mais il n'avait obtenu aucune réponse. Ce silence, qui s'expliquait probablement par des lenteurs bureaucratiques, ne l'avait point troublé, pas plus que l'ingénieur en chef, Nikolaï Fomine. Les deux hommes, ingénieurs expérimentés, mais sans formation en physique nucléaire, avaient travaillé à la centrale dès ses débuts, et malgré quelques incidents ils s'y sentaient parfaitement à l'aise.

À 14 heures, en accord avec le programme préétabli, le circuit du système de refroidissement urgent du cœur fut débranché. Cependant, le début de l'expérience dut être retardé, car le régulateur du réseau électrique de Kiev avait demandé que le réacteur continue à fournir de l'électricité aux heures de pointe. Les manœuvres visant à réduire la puissance du réacteur reprirent à 23 h 10. La raison pour laquelle l'expérience fut lancée au cours de la nuit était donc toute simple : il fallait profiter d'un creux dans la consommation d'électricité de la capitale ukrainienne.

À minuit pile – une heure vingt-cinq minutes avant l'explosion –, alors que le directeur de la centrale et son ingénieur en chef dormaient tranquillement (ils n'avaient aucune appréhension quant à l'expérience programmée), l'équipe d'Alexandre Akimov prit la relève au pupitre du réacteur n° 4. Au total, près de deux cents collaborateurs étaient de service cette nuit-là. L'expérience semblait progresser normalement, puis, à 1 h 23 mn 4 s, le réacteur « s'emballa » subitement. Sa puissance monta en flèche. Trente-quatre secondes plus tard, l'opérateur en chef Akimov, éberlué par ce développement inattendu, appuya frénétiquement sur le bouton rouge, celui de la réduction urgente de la puissance du réacteur. Les indicateurs sur le pupitre clignotèrent vivement, et ce geste inachevé (les barres mobiles n'ont pu être enfoncées complètement dans le graphite [1]), au lieu de ralentir la réaction en chaîne à l'intérieur du chaudron nucléaire fut suivi d'une folle accélération. Selon les récits de plusieurs collaborateurs, quelques secondes plus tard deux énormes explosions secouèrent, plus ou moins simultanément, le réacteur et la salle des machines, une gigantesque salle où se trouvaient les turbines et les générateurs de courant alternatif.

---

1. Ces barres mobiles contiennent un matériau qui absorbe fortement les neutrons, par exemple le bore ou le cadmium. En les baissant ou en les soulevant, on arrive à régler la réaction nucléaire en agissant sur le facteur de multiplication des neutrons.

D'après Grigori Medvedev, l'ingénieur en chef de la centrale de Tchernobyl pendant sa construction, qui reconstruit la séquence des événements de cette nuit fatale dans un livre remarquable [1], le déchiffrement des données recueillies par l'ordinateur « Skala » (il s'agissait bien naturellement d'un humble ancêtre des ordinateurs modernes) permet de conclure qu'une boule d'énergie électrique, légèrement aplatie et mesurant près de sept mètres de diamètre et trois mètres de hauteur, s'est formée dans le tiers supérieur de la zone active du réacteur. Près de 50 tonnes de combustible nucléaire se sont alors évaporées sous l'impact de cette boule et ont été projetées dans l'atmosphère, à une hauteur variant entre 1 et 11 kilomètres, sous forme de plusieurs isotopes radioactifs avec des périodes différentes [2]. Cette masse forma le fameux nuage de Tchernobyl, qui arrosa tout d'abord une jeune pinède près de la centrale (la « forêt rousse » qui mourra vers l'automne), puis traversa la Biélorussie et les pays baltes pour faire ensuite un véritable tour du monde. Cependant, vingt-quatre heures plus tard, la direction du vent changea et les émissions nouvelles (le réacteur continua à « fumer » jusqu'au 10 mai) touchèrent également Kiev et ses environs. Quant au combustible nucléaire

---

1. *La Vérité sur Tchernobyl*, Paris, Albin Michel, 1990.
2. La période, c'est l'intervalle de temps au bout duquel la moitié des atomes d'un élément radioactif s'est désintégrée (demi-vie).

qui se trouvait à la périphérie de la zone active du réacteur endommagé, près de 70 tonnes supplémentaires, il fut projeté sur le territoire de la centrale, principalement sur les décombres du réacteur et de la salle des machines, sur le toit du troisième bloc séparé du quatrième par une paroi seulement, sur la cheminée d'aération et d'autres installations du site. L'activité de ce rejet-là, qui resta plus ou moins confiné dans ce périmètre, atteignit dans les premières heures 15 000 à 20 000 röntgens/heure, ce qui créa immédiatement un champ de radiation d'une puissance extrême autour du bloc sinistré. Enfin, près de 50 tonnes de combustible nucléaire et près de 800 tonnes de graphite (qui se consumeront dans les jours suivants) sont restées dans le puits du réacteur qui ressemblait désormais au cratère d'un volcan [1].

---

1. Pour la répartition du combustible nucléaire après l'explosion, je cite l'avis de Grigori Medvedev. Or, comme le réacteur est désormais scellé sous le sarcophage, la quantité du combustible nucléaire restée à l'intérieur est un sujet de controverse scientifique : selon la thèse soviétique officielle, seuls 3 à 4 % du combustible auraient été rejetés dans l'atmosphère, d'où la nécessité de la construction d'un sarcophage, et la décision récente d'en construire un nouveau, plus solide, qui recouvrira le premier. Cependant, selon plusieurs informations concordantes, le réacteur endommagé est aujourd'hui pratiquement vide. *Cf.* en particulier la mise à jour d'A. N. Kisselev (Institut Kourtchatov), *Iadernoïe toplivo razrouchennogo reaktora* (Combustible nucléaire du réacteur détruit), sur Internet : http://ph. icmp.lviv.ua/chornobyl/e-library/jadernojetoplivorarzrushe nogoreactora/jadtoplrarzrreact.html

Au sein du quatrième bloc et de sa salle des machines, la dévastation était dantesque. Des conduites d'eau et de vapeur avaient été tordues et arrachées de tambours-séparateurs pesant 130 tonnes chacun. Les locaux où se trouvaient les principales pompes avaient explosé eux aussi, ensevelissant la première victime de la catastrophe, Valeri Khodemtchouk. Dans la salle des machines, le toit en béton armé, une grue de 50 tonnes et un pont roulant supportant un engin de transbordement de 250 tonnes avaient été soufflés! Toujours selon Medvedev, la déflagration qui s'y était produite avait servi d'amorce à l'explosion du réacteur dont le couvercle, épais de trois mètres et pesant 1 200 tonnes, conçu comme un outil de protection biologique, fut soulevé comme une plume, avant de retomber dans les décombres.

Il existe quelques témoignages de personnes ayant vu le début de la catastrophe de l'extérieur. Ainsi, Daniïl Miroujenko, un gardien dont la guérite se trouvait à 300 mètres du quatrième bloc, a raconté qu'il avait entendu des détonations et couru à la fenêtre. C'est alors que la dernière explosion, terrible, fit trembler le sol. Une boule de feu d'un violet sombre, presque noir, s'envola en tourbillon vers le ciel, suivie de débris de béton et de métal projetés dans les airs. Quelques toits s'enflammèrent, et le bitume commença à couler. Les premières voitures de pompiers de service à la centrale arrivèrent aussitôt. C'était l'équipe du lieutenant Vladimir Pravik.

De l'autre côté du site, à 400 mètres du quatrième bloc, Irina Tsetchelskaïa, opératrice de l'unité qui fabriquait le béton pour le cinquième bloc, alors en construction, entendit elle aussi des déflagrations et vit le feu, mais elle décida de rester à son poste, tout comme les 270 hommes qui travaillaient cette nuit-là sur le chantier situé lui-même à 1 200 mètres. Après tout, des explosions dans des chaudières ou des départs d'incendie n'étaient pas une rareté à la centrale : « On va éteindre le feu ! » pensa sans inquiétude la brave femme.

Pendant cette nuit, très chaude pour la saison, quelques pêcheurs insouciants s'adonnaient à leur sport favori au bord du canal se déversant dans le bassin de refroidissement, à quelques centaines de mètres du quatrième bloc ; ils ne bougèrent pas davantage. À l'aube, ils avaient le teint basané du « bronzage nucléaire » : deux d'entre eux figurent parmi les premières victimes de la catastrophe.

Le technicien Grigori Petrov, affecté aux travaux de montage de la centrale, rentrait en voiture d'un séjour à Minsk. À 2 h 30, il était déjà tout près de la ville de Pripiat. De loin, il vit la cheminée d'aération embrasée : la flamme montait en torche, atteignant 170 mètres de hauteur. Par curiosité, il décida d'observer l'incendie en s'approchant tout près et en baissant la vitre de sa voiture : « Cela sentait la fumée âcre et l'ozone, comme après un fort orage, relata-t-il. Ma gorge est devenue sèche, je me suis mis à tousser. Des silhouettes se démenaient dans les flammes. Un pompier est monté sur le toit du troisième bloc, à une hauteur de 70 mètres, et il coordonnait de là-haut l'action de ses camarades sur le toit et dans les décombres de la salle des machines, à une trentaine de mètres plus bas. Je comprends maintenant que ce pompier a battu le record mondial : même à Hiroshima, les gens ne se trouvaient pas si près de l'épicentre de l'explosion nucléaire, car la bombe y avait explosé à la hauteur de 700 mètres. »

Dans l'enfer des flammes et de la destruction, au milieu de la nuit, il était difficile de comprendre ce qui venait de se produire. En tout cas, l'équipe qui se trouvait au pupitre de commande refusa d'admettre que le réacteur ait pu exploser. Lorsque l'onde de choc, accompagnée d'une poussière blanche et d'une vapeur radioactive chaude, secoua le local comme lors d'un tremblement de terre, Anatoli Diatlov, l'ingénieur en chef adjoint qui supervisait l'expérience, décida, en plein désarroi, que c'était le réservoir de réserve du système de contrôle et de protection du réacteur qui avait explosé. « Je ne comprends rien ! Quelle diablerie ! Nous avons tout fait correctement... », répétait-il en secouant sa chevelure poivre et sel. « Serait-ce un sabotage ? renchérissait Akimov. Nous avons agi selon le programme. »

Même les amoncellements de graphite et de combustible nucléaire que Diatlov aperçut quelques minutes plus tard dans les décombres de la salle des machines et au-dehors, près du bloc, ne le firent pas changer d'avis. Sa conscience refusait d'enregistrer cette donnée visible. Faute d'information sur les accidents qui s'étaient produits ici et ailleurs, le personnel des centrales avait été élevé dans l'idée qu'un réacteur nucléaire *ne pouvait* pas exploser. L'académicien Valeri Legassov reproduit dans ses Mémoires la remarque que le directeur de la centrale de Tchernobyl, Brioukhanov, fit à un collègue : « Qu'as-tu à t'inquiéter ? Le réacteur nucléaire, c'est comme un samovar, c'est bien plus simple qu'une centrale thermique. On a un personnel expérimenté, et il ne nous arrivera jamais rien. » Et Brioukhanov n'était pas une exception : le président de l'Académie des sciences de l'URSS, Anatoli Alexandrov, grand spécialiste du nucléaire, affirmait, selon certains, qu'un réacteur RBMK était tellement sûr qu'on aurait pu l'installer même sur la place Rouge...

Akimov se mit à appeler divers chefs de services de la centrale en leur demandant une aide urgente : « Le réacteur n'a plus d'eau. Je n'arrive pas à faire marcher les pompes ! Il nous faut des électriciens. » Tout le monde ressentait déjà les premiers effets de la radiation, mais les gens n'avaient aucune idée de la dose qu'ils recevaient : le service de dosimétrie ne répondait pas et il n'y avait ni dosimètres ni respirateurs à la disposition du personnel. Il n'y avait pas non plus de comprimés d'iode. Quant aux tenues de protection, elles étaient enfermées dans un placard.

Akimov envoya deux stagiaires, Proskouriakov et Koudriavtsev, en reconnaissance. Ces jeunes furent les premiers à voir un tableau apocalyptique : le couvercle du réacteur en position presque verticale, comme une roue solitaire ; des parois détruites hérissées de câbles et de fils d'acier ; une colonne luminescente, rouge et bleu, s'élevant du réacteur... Ils restèrent une minute devant ce volcan radioactif pour pouvoir bien décrire la situation : tous deux reçurent ainsi une dose mortelle. « Il n'y a plus de salle centrale, rapporta Proskouriakov à Akimov et Diatlov. Le réacteur est en feu... » Mais Diatlov avait déjà adopté la version d'Akimov : « Vous n'avez rien compris, les gars. Quelque chose brûlait par terre, et vous avez pensé que c'était le réacteur. Il se peut que l'explosion du réservoir ait soufflé le toit, mais le réacteur est intact, et il faut le sauver. Il faut pomper de l'eau dans la zone active. » Cette version fut rapportée à Brioukhanov et à Fomine qui la véhiculèrent à Moscou, ce qui eut des conséquences fatales : on engagea un travail inutile et nocif qui ne fit qu'augmenter le nombre des victimes, et l'on prit du retard dans l'évacuation de la ville de Pripiat.

Entre-temps, plusieurs personnes pénétrèrent dans la salle des machines où un élément de charpente tombée fit exploser la conduite d'huile d'une turbine. L'huile chaude se déversa sur des morceaux de combustible nucléaire qui s'enflamma. Sept collaborateurs de la centrale restèrent près de quatre heures dans la salle pour éteindre des foyers d'incendie, vidanger plusieurs gros réservoirs d'huile dans des cuves situées à l'extérieur du bloc, les remplir d'eau, et remplacer l'hydrogène dans le générateur par de l'azote, afin d'éviter une nouvelle explosion. Ce fut un véritable exploit. De l'avis de Grigori Medvedev, sans leur intervention – qui coûta la vie à quatre d'entre eux –, la salle des machines aurait entièrement brûlé, et la propagation du feu aurait entraîné la destruction des trois autres réacteurs nucléaires, avec des conséquences qu'on ose à peine imaginer.

4

Les causes du désastre

Pourquoi cet accident monstrueux s'est-il produit à la centrale de Tchernobyl? Comment s'est-il déroulé? Quelle était la nature de l'explosion du réacteur, thermique ou nucléaire? Si étrange que cela puisse paraître, on n'a pas à ce jour de réponses définitives à ces questions.

Pour ce qui est du « pourquoi », il convient d'écarter d'abord des hypothèses fantaisistes, bien que celles-ci aient encore leurs partisans. C'est ainsi que le président de l'Union des liquidateurs de l'Ukraine, Iouri Andreïev, lui-même un ancien collaborateur de la centrale, qui se trouvait là le jour de l'accident, affirme à qui veut l'entendre que l'explosion ne fut qu'un odieux acte de sabotage manigancé par une puissance étrangère [1]. D'autres, comme Mikhaïl Gorbatchev, chef de l'État soviétique au moment de la catastrophe, évoquent une secousse sismique [2]. En effet, en 1997, un

---

1. Entretien avec l'auteur.
2. Entretien avec l'auteur.

groupe de scientifiques russes prétendit que l'accident aurait été causé par une secousse locale de magnitude 3 à 4 sur l'échelle de Richter, dont l'épicentre aurait pu se trouver non loin de la centrale [1]. Cependant, il est peu probable qu'un très faible séisme ait pu provoquer de telles destructions, alors que les centrales soviétiques étaient conçues de façon à résister à des tremblements de terre allant jusqu'à la magnitude 6 sur l'échelle de Richter. Un autre fait semble également troublant : si plusieurs sismographes ont enregistré un faible tremblement de terre, comment se fait-il que ces appareils sensibles n'aient point « remarqué » deux très puissantes explosions à la centrale ? Selon l'avis d'un chercheur de l'Académie des sciences de l'Ukraine, Boris Gorbatchev, l'explication est toute simple : les sismographes auraient tout simplement enregistré les secousses provoquées par l'accident [2].

Si l'on passe maintenant aux théories plus solides, on constate qu'elles se résument à deux types d'explications seulement, malgré des variantes importantes dans les détails : l'une met principalement en cause le personnel de la centrale et ses erreurs grossières dans le maniement

---

1. V. Strakhov, V. Starostenko, O. Kharitonov, et autres, « Seïsmitcheskiïe iavleniïa v raïone Tchernobylskoï AES » (« Phénomènes sismiques aux alentours de la centrale de Tchernobyl »), in *Geofizitcheski Journal*, tome 19, n° 3, 1997.
2. *Cf.* son long article en russe sur le site http://www.slavutichcity.net

du réacteur n° 4 lors d'une expérience douteuse, tandis que l'autre fait porter la responsabilité du drame au modèle même du réacteur RBMK qui devient instable sous certaines conditions, et souligne l'impréparation du personnel à l'éventualité d'un accident nucléaire.

En fait, les problèmes de sécurité des réacteurs RBMK (créés à la base d'installations militaires pour l'enrichissement du plutonium) étaient bien connus des spécialistes. Voici le témoignage de l'un d'eux, de l'Institut de l'énergie nucléaire (Institut Kourtchatov), Vladimir Volkov : « L'élimination des défauts des réacteurs RBMK aurait fait baisser le rendement économique des centrales équipées de ces réacteurs [...]. Il y a donc eu peu de recherches visant à perfectionner ce type de réacteur, et de toute façon, les instances concernées ne prêtaient aucune attention à leurs résultats. » Le 1er novembre 1985, moins de six mois avant la catastrophe, l'inspecteur de la sécurité nucléaire de la centrale de Koursk, Alexandre Iadrikhinski, envoya à *Gosatomnadzor* son rapport sur les réacteurs RBMK, dans lequel il préconisait l'arrêt immédiat de tous les appareils de ce type pour y changer le système de contrôle et de protection du réacteur. Mais c'était une voix qui criait dans le désert...

Quelques jours seulement après la catastrophe, le 1er mai 1986, ce même Volkov adressa une lettre au directeur de l'Institut Kourtchatov, l'académicien Alexandrov, dans laquelle il formula ses premières conclusions :

« La cause de l'accident, ce ne sont pas les actions du personnel, mais la construction même de la zone active du réacteur [...]. » Fin mai 1986, un groupe de spécialistes du ministère de l'Énergie de l'URSS présenta un rapport détaillé où il était également question de plusieurs défauts de conception du réacteur, mais aussi de violations par le personnel du règlement concernant « la réserve opérationnelle de réactivité [1] ». Cependant, le document note l'absence de précisions à ce sujet dans la documentation technique destinée au personnel des centrales, ce qui rend les erreurs commises au cours de l'expérience « non intentionnelles ».

Le rapport de la Commission gouvernementale sur les causes de l'accident, achevé en juillet 1986, témoigne encore d'un souci d'objectivité. La Commission tient pour responsable le personnel de la centrale, mais également le ministère de l'Énergie de l'URSS, le *Sredmach*, et surtout, le constructeur du réacteur RBMK, l'académicien Dollejal, ainsi que l'académicien Alexandrov, dont l'Institut n'avait pas assuré d'accompagnement scientifique lors de la construction de centrales équipées de réacteurs de ce type. L'Institut Kourtchatov, ainsi mis sur la sellette, a procédé entre-temps à son propre examen des causes de la catastrophe. Dans son rapport, l'Institut, qui supervisait toutes les centrales nucléaires, met

---

1. Un coefficient positif de réactivité rend le réacteur de ce type instable.

sciemment à l'arrière-plan les graves problèmes de conception des réacteurs RBMK, mais conclut néanmoins : « À l'origine de l'accident se trouve une combinaison extrêmement peu probable de violations du régime d'exploitation du réacteur commises par le personnel du bloc, *qui firent apparaître certains défauts de la construction du réacteur et des barres du système de contrôle et de protection.* »

La thèse officielle prend sa forme achevée vers la fin août. Il s'agit du rapport de la délégation soviétique, présenté lors de la réunion d'experts de l'Agence internationale pour l'énergie atomique (l'AIEA), qui s'est tenue du 25 au 29 août à Vienne. Ce rapport est fondé essentiellement sur les conclusions de l'Institut Kourtchatov, mais la deuxième partie de la phrase citée ci-dessus (en italique) en est absente. Par contre, le rapport contient des mensonges délibérés sur plusieurs articles du protocole de sécurité que le personnel aurait violés, alors que ces articles ne furent adoptés qu'après l'accident ! Après avoir reçu l'aval de l'AIEA (dont la direction devait être plutôt soulagée par ce rapport), ce document servit de base légale pour condamner à de lourdes peines de prison les principaux responsables de la centrale : Brioukhanov, Fomine et Diatlov qui écopèrent chacun de dix ans de prison. Seul Akimov y a « échappé » : gravement irradié, il est mort bien avant le procès qui eut lieu en juillet 1987, en pleine zone interdite, au club de la ville de Tchernobyl vidée de ses habitants.

Pourtant, aucune de ces théories, ni aucune combinaison des deux, n'explique concrètement et de façon cohérente la genèse et le développement du processus qui s'acheva par deux énormes explosions et le rejet d'une gigantesque quantité de radionucléides dans l'atmosphère. Comme l'écrivent dans leur conclusion des experts indépendants de Minsk, de Moscou et de Kiev, « du fait de l'absence d'informations exhaustives sur les événements survenus au cours de l'accident, pratiquement chaque étude propose sa version du " scénario " et des circonstances à l'origine de l'accident [...]. C'est tout à fait naturel, car la chronologie des événements dans la période entre 1 h 23 mn 4 s, jusqu'à la destruction du réacteur à 1 h 24 mn, abonde de lacunes et de contradictions importantes, en raison des défauts des systèmes d'enregistrement lors de processus ultrarapides. Le manque d'informations sur la chronologie des événements aux différents stades du déclenchement et du développement de l'accident [...] et l'absence de synchronisation des données de différents appareils enregistreurs laisse une liberté pour diverses interprétations [1] ».

C'est à ce flou que s'attaque depuis quelques années le physicien Léonid Urutskoiev qui,

---

1. *Cf.* United Expert Committee Minsk-Moscow-Kiev (Chairman Pr. Vassili Nesterenko), *Chernobyl Accident. Reasons and Consequences. The Expert Conclusion.* Minsk, Pravo i Economica, 1997.

envoyé après la catastrophe par l'Institut Kourt-chatov, a passé dix ans à la centrale de Tchernobyl pour comprendre ce qui s'y était passé. Avec son équipe, il a entrepris des expériences visant à reproduire certains processus qui ont eu lieu dans le réacteur, juste avant et au moment de l'explosion. Ses conclusions contredisent radicalement les deux théories qui viennent d'être évoquées. Voici comment Urutskoiev et ses collègues expliquent leur démarche : « Le principal fait à expliquer est l'emballement subit du réacteur. Nous n'entrerons pas ici dans les polémiques concernant d'éventuelles erreurs du personnel, du protocole de sécurité ou de la construction. Nous ne cherchons pas la faute, mais le déroulement des faits : nous ne cherchons pas "pourquoi ?" mais "comment ?" Nous voulons comprendre comment un réacteur à la limite d'épuisement de son combustible, dont la puissance lentement décroissante restait stationnaire depuis plus d'une demi-heure à 6 % de sa puissance nominale, a pu passer en dix secondes à des dizaines de fois cette puissance nominale. C'est un problème purement scientifique [1]. »

Urutskoiev et ses collègues évoquent quelques faits troublants. Voici ce qui s'est produit

---

1. *Cf.* G. Lochak, A. Roukhadze, L. Urutskoiev, D. Filippov, « O vozmojnom fizitcheskom mekhanizme Tchernobylskoï avariï i nesostoïatelnosti ofitsialnogo zakliutcheniïa », (« Du mécanisme physique possible de l'accident de Tchernobyl et de l'inconsistance de la conclusion officielle »), in *Fizitcheskaïa mysl Rossiï*, n° 2, 2003.

lors de la très violente explosion dans la salle des machines qui, selon ces physiciens, « a précédé la catastrophe et *ne saurait lui être imputée* » : « Par endroits, la tuyauterie de conduite de vapeur, qui assure la circulation du liquide de refroidissement entre le réacteur et l'un des turboalternateurs, passait au voisinage de câbles électriques fixés au mur. Ces câbles ont arraché leur fixation, brisé les protections qui les entouraient et se sont violemment précipités contre la conduite de vapeur. Quelle force les a attirés ? »

Des phénomènes bien plus étranges encore ont eu lieu dans et autour du réacteur.

Une partie non négligeable du combustible nucléaire (50 tonnes au moins), qui se trouvait dans le réacteur au moment de l'explosion et n'a pas été rejetée dans l'atmosphère pour former le nuage, ni n'est retombée immédiatement sur le site de la centrale et ses environs, semble avoir disparu sans laisser de traces. Lorsqu'on a réussi à introduire un périscope dans le réacteur par une ouverture forée dans sa paroi, on a constaté que son intérieur était vide ! « Le fond du réacteur s'étant effondré, on a d'abord cru que le combustible était mêlé à une sorte de magma de terre, mais c'était faux : le compte n'y était pas et de loin », constatent les physiciens. Ils soulignent tout particulièrement que, d'une part, la composition isotopique des restes du combustible nucléaire récupéré a changé, dans le sens d'un *enrichissement* en uranium 235 – et cela jusqu'à 27 %, alors que, dans un réacteur normal de ce type, ce rapport ne dépasse pas 2 % –, et que, d'autre part, des quantités considérables d'éléments chimiques étrangers, initialement absents, sont apparues, notamment des *tonnes* d'aluminium, un métal qui n'entre pas dans la construction du réacteur. Enfin, ils rappellent que pendant plusieurs jours après la catastrophe, une intense lueur a rayonné au-dessus du réacteur découvert, émettant des couleurs que tous les témoins ont qualifiées de bizarres et d'extraordinaires.

L'impossibilité de fournir une explication totalement cohérente des différents phénomènes observés pendant la catastrophe, et surtout lors du brusque emballement du réacteur, poussa les trois scientifiques russes à émettre une hypothèse physique nouvelle qui s'appuie sur la théorie d'un physicien français de renom, le professeur Georges Lochak, qui a découvert, d'abord de façon purement théorique, une particule élémentaire dénommée le monopôle magnétique leptonique. C'est une particule à masse nulle qui est créée par une sorte de « basculement » encore inexpliqué, entre l'électricité et le magnétisme, lors d'une décharge.

L'élaboration de la nouvelle hypothèse se fit donc avec la participation de Georges Lochak, et une longue série d'expériences fut menée par les physiciens russes à l'Institut Kourtchatov de Moscou, en vue de « miniaturiser » le départ de la catastrophe. « Notre hypothèse principale est que la catastrophe n'a pas pris naissance dans le réacteur, mais dans la salle des machines, et que l'explosion qui s'y est produite avait une origine électrique... Nous pensons que l'ordre d'arrêt du réacteur [1] n'est pour rien dans la catastrophe, et qu'il n'était qu'une parade normale vu les circonstances, et non la cause de l'emballement du réacteur», écrivent Urutskoiev et ses collègues.

Que s'est-il donc passé? «Une cause possible de la première explosion pourrait être un court-circuit, lors du débranchement d'un turboalternateur. Les monopôles [magnétiques leptoniques] auraient alors été entraînés vers le réacteur, ce qui serait, d'après nous, la véritable cause de la catastrophe. Un chemin possible pour les monopôles serait le circuit de vapeur, ce qui expliquerait que la tuyauterie ait pu attirer les câbles électriques avoisinants. Dans le réacteur, les monopôles seraient intervenus en tant que leptons, dans des phénomènes nucléaires, en agissant sur des interactions faibles. Cette hypothèse est la seule que nous possédions pour rendre compte des transmutations nucléaires à basse énergie. » En clair, c'est le flux des monopôles magnétiques qui aurait provoqué une augmentation de la réactivité du réacteur en le poussant à l'emballement et aurait ainsi lancé une réaction à caractère nucléaire : non pas une classique

---

1. Ordre donné par Akimov en appuyant sur le fameux bouton rouge, quelques secondes avant l'explosion.

réaction en chaîne, mais une transmutation des éléments à basse énergie provoquant des effets destructeurs énormes. Cette hypothèse permettrait, entre autres, d'expliquer l'apparition d'une « foudre en boule » qui se forma, selon le témoignage cité par Grigori Medvedev, dans le réacteur, puis s'envola en tourbillon vers le ciel, suivie d'une luminescence durable contemplée par plusieurs habitants de Pripiat depuis leurs balcons.

« Nous sommes conscients du *caractère exotique* de nos hypothèses », affirment les chercheurs qui appellent à reproduire leurs expériences et à en faire d'autres, à réexaminer la théorie des monopôles leptoniques et à la développer car, s'ils ont raison, les enjeux sont énormes. La recherche des origines de la catastrophe de Tchernobyl permettrait peut-être de découvrir un nouveau procédé d'enrichissement de l'uranium, ainsi qu'« une solution du problème des déchets nucléaires par transmutation d'éléments dangereux vers d'autres éléments, puisqu'il serait possible, à l'aide de monopôles légers, de " naviguer " par interactions faibles, sur le tableau de Mendeleïev. »

Mais laissons de côté l'alchimie nucléaire, si passionnante soit-elle. Posons plutôt une question essentielle. En effet, si l'origine du drame se trouve dans une conception erronée du réacteur, on peut améliorer celui-ci ou décider d'adopter un autre type de réacteur; si l'« accident » est le résultat d'une accumulation incroyable d'erreurs commises par le personnel de la centrale, on peut mettre en place des protocoles plus précis et donner une meilleure formation à ceux qui y travaillent ; mais si la cause d'une catastrophe nucléaire inouïe est un banal court-circuit dans une salle des machines, qui aurait provoqué des processus à la fois mystérieux (encore inexpliqués, car la théorie évoquée n'est qu'à l'état d'ébauche et doit être confirmée) et extrêmement dévastateurs, n'y a-t-il pas là un argument très convaincant en faveur de ceux qui s'interrogent depuis longtemps sur la capacité des hommes à gérer le nucléaire ?

Il faut peut-être mentionner ici qu'une autre explosion, d'une très grande violence, s'est produite cinq ans plus tard, dans la salle des machines du deuxième bloc de la centrale de Tchernobyl. Les photos prises par Igor Kostine, le grand photographe de Kiev, quelques heures après cet accident survenu dans la nuit du 11 au 12 octobre 1991, sont éloquentes : on y voit des masses de métal contorsionnées et le toit soufflé, un tableau apocalyptique semblable à celui auquel fut confronté le personnel abasourdi du quatrième bloc dans la nuit du 26 avril 1986 [1]. À ce sujet, Léonid Urutskoïev est formel : cette explosion, très peu connue, a eu lieu, elle aussi, dans la salle des machines.

---

1. *Cf.* l'album d'Igor Kostine, *Tchernobyl, Confessions d'un reporter*, Paris, Éd. des Arènes, 2006.

Très probablement à la suite d'un court-circuit. Mais cette fois, affirme le physicien, le personnel, mieux préparé, a réagi sans perdre une seconde : le réacteur fut arrêté avant qu'une explosion ne se produise en son sein [1]. Il ne fut jamais remis en service : face à ce qui apparaissait comme une menace obscure, la décision fut prise, au plus haut niveau, de fermer graduellement la centrale de Tchernobyl.

---

1. Conversation téléphonique entre L. Urutskoïev et G. Lochak, en présence de l'auteur.

5

Un ballet d'hélicoptères

Force est de constater qu'il est aujourd'hui impossible d'établir la responsabilité réelle, dans le déclenchement de la catastrophe, du trio qui dirigeait la centrale. Dans des Mémoires écrites après son élargissement, l'ingénieur en chef adjoint de la centrale, Anatoli Diatlov – lui-même gravement irradié, jugé et condamné à purger une lourde peine de prison, alors qu'il était sérieusement malade – réfute totalement cette responsabilité [1]. Il est cependant évident que l'aveuglement dont il fit preuve, tout comme Viktor Brioukhanov et Nikolaï Fomine, refusant de reconnaître que le réacteur du quatrième bloc avait explosé, a conduit à des interventions inutiles, quoique héroïques, de plusieurs membres du personnel de la centrale et des pompiers qui travaillèrent, au prix de leur vie pour certains, dans la proximité immédiate du réacteur en tentant vainement de l'arrêter,

1. Ce livre est consultable sur Internet à l'adresse suivante : http://lib.ru/MEMUARY/CHERNOBYL/dyatlow.txt

alors qu'il était déjà détruit. En fait, ils inondèrent les sous-sols du bloc avec de l'eau mélangée au combustible nucléaire, ce qui risquait de provoquer une nouvelle explosion. Cet aveuglement de la direction de la centrale – qui s'explique par l'arrogance de l'*homo technicus*, mais aussi par la peur panique de ces gens devant les instances supérieures – induisit en erreur le Politburo, ainsi que la Commission gouvernementale formée dans la matinée du 26 avril 1986. Du coup, l'évacuation de Pripiat, qui aurait dû être immédiatement ordonnée par Moscou, fut retardée de trente-six heures, et c'est seulement grâce à un concours heureux de circonstances, si l'on peut utiliser un terme aussi optimiste, que les habitants de Pripiat ne furent pas tous gravement irradiés : le nuage ne survola pas la ville, mais passa tout près, au-dessus d'une pinède avoisinante, cette « forêt rousse » brûlée par le souffle nucléaire.

Mais revenons à la matinée qui a suivi l'explosion. Réveillé, le directeur de la centrale, Brioukhanov, arriva sur place à 2 h 30, et l'ingénieur en chef Fomine fit son apparition à 4 heures (il était, paraît-il, à la pêche et donc injoignable !). Pendant qu'on continuait à inonder les sous-sols du quatrième bloc, Brioukhanov appelait Moscou. À l'aube, plusieurs membres du Politburo, et Mikhaïl Gorbatchev en personne, étaient déjà informés d'un « terrible accident » qui aurait néanmoins laissé le réacteur intact. Comme les dosimètres à la disposition du personnel étaient dotés d'échelles de mesure qui allaient seulement jusqu'à 1 000 microröntgens/seconde, c'est-à-dire 3,6 röntgens/heure, Brioukhanov rapporta au Comité central du PCUS que les niveaux du rayonnement restaient dans les limites normales, alors qu'en réalité les débris de combustible et de graphite émettaient entre 5 000 et 15 000 röntgens/heure! « Alimentez le réacteur en eau. Continuez à le refroidir », ordonna Moscou.

Mis à part la sécheresse de la gorge et le brunissement, qui sont les tout premiers symptômes, une forte exposition à des radiations provoque une excitation qui trahit une atteinte du système nerveux. C'est peut-être cette euphorie nucléaire qui priva Brioukhanov et Fomine d'un jugement sensé. Ainsi, lorsque la pompe d'alimentation s'arrêta, car les réserves d'eau étaient épuisées, Fomine déploya une énergie frénétique pour en organiser l'approvisionnement à partir d'autres sources. Entre-temps, Brioukhanov fut informé qu'une Commission gouvernementale venait d'être mise sur pied et qu'un premier groupe de spécialistes allait s'envoler de Moscou à 8 heures. Cette cellule de crise arriva à Kiev à 10 h 45. Vers 13 heures, près de la gare de Yanov, à côté de Pripiat, le chef de cette cellule, Boris Prouchinsky, ingénieur en chef du Département de l'énergie nucléaire, réussit à mettre la main sur un hélicoptère de la défense civile et sur un photographe de l'agence de presse *Novosti*, Igor Kostine. Les spécialistes de la cellule de crise décidèrent d'inspecter eux-mêmes les lieux. C'est au cours de ce vol, 250 mètres au-dessus du réacteur fumant, qu'ils constatèrent la destruction de la quatrième unité de la centrale et aperçurent distinctement d'énormes blocs de graphite et de combustibles dispersés aux alentours. Quant à Kostine, il prit la première photo du réacteur éventré. Elle était granuleuse à cause des radiations, effrayante... Les autres clichés de ce jour-là se révélèrent noirs, « bouffés », dit-il, par les rayons.

La Commission gouvernementale arriva à Pripiat dans la soirée. Près de vingt heures après l'accident, la vérité ne pouvait plus être occultée : non seulement le réacteur avait été détruit, mais il était désormais complètement empoisonné par l'iode et continuait à cracher des millions de curies dans le ciel. Deux opérateurs étaient morts (Valeri Khodemtchouk, écrasé sous les débris, et Vladimir Chachenok, brûlé vif), et une bonne centaine de personnes se trouvaient déjà au centre médical local – qui n'était absolument pas préparé à cette affluence –, avec des signes clairs du mal aigu produit par les rayonnements : érythèmes, vomissements, enflures, haute température, douleurs, état de faiblesse. Plusieurs personnes avaient reçu des doses trois à cinq fois supérieures aux doses létales et se trouvaient dans un état grave. Vingt-huit d'entre elles allaient mourir dans les jours et les semaines suivantes.

Mais à Pripiat, en absence de toute information, les habitants continuèrent ce jour-là, un samedi, à vaquer à leurs occupations : on y célébra même seize mariages « à la komsomol », avec des festivités en plein air, dans la chaleur du printemps et une atmosphère chargée de radionucléides.

L'une des rares personnes qui sut garder la tête froide fut le général Guennadi Berdov, vice-ministre de l'Intérieur de l'Ukraine. De sa propre initiative, il prit quelques mesures on ne peut plus utiles : à 6 heures, il avait déjà créé un état-major de crise à Pripiat et ordonné aux forces de la milice d'interdire l'accès à la zone dangereuse ; il avait surtout mobilisé à Kiev plus de 1 100 autocars et des voitures sanitaires, pour évacuer éventuellement la population de Pripiat. Cependant, l'ordre d'évacuation ne dépendait que d'un seul homme : le président de la Commission gouvernementale, Boris Chtcherbina, vice-président du Conseil des ministres de l'URSS. Mais celui-ci fut d'abord très réticent à cette idée, comme l'a raconté plus tard Gueorgui Chacharine, vice-ministre de l'Énergie chargé de l'exploitation des centrales nucléaires. « Quand Chtcherbina est arrivé, je l'ai pris à part pour lui expliquer la situation. Je lui ai dit qu'il fallait évacuer immédiatement la ville. Il m'a répondu d'un air contraint que cela pourrait provoquer la panique, laquelle est bien pire que la radio-activité. »

Dans la soirée, la Commission gouverne-mentale, la cellule de crise qui y était affectée, et la direction de la centrale siégèrent pour chercher des solutions. Après plusieurs heures de délibérations, on décida d'étouffer le réacteur qui déversait dans l'atmosphère tout le spectre des isotopes radioactifs. On convoqua alors à Pripiat le général de division Nikolaï Antochkine, commandant en second des forces aériennes de la région militaire de Kiev. Il fut chargé d'une mission : mobiliser des pilotes d'hélicoptères pour recouvrir de sable le bloc accidenté. Comme la hauteur du réacteur était de 30 mètres, cela semblait une bonne solution.

Au cours de la même réunion, sous la pression notamment du vice-ministre de la Santé, Evgueni Vorobiov, qui expliqua que l'air de Pripiat était déjà saturé d'iode radioactif, de plutonium, de césium et de strontium, Chtcherbina ordonna d'évacuer Pripiat le lendemain. Au musée de Tchernobyl, à Kiev, on peut entendre l'enregistrement de l'ordre que diffusèrent le 27 avril 1986 les haut-parleurs de la ville. En raison d'une « situation radiologique défavorable », on annonça une évacuation qui ne durerait que deux ou trois jours, en proposant aux habitants de prendre un panier de pique-nique, des produits d'hygiène et des vêtements de rechange. Personne ne se doutait alors que ce départ serait définitif. Les scientifiques pensaient que la radioactivité diminuerait une fois le réacteur recouvert de sable. L'incompétence et le niveau d'impréparation étaient tels que les membres de la Commission gouvernementale n'avaient, eux-mêmes, aucune tenue de protection, et qu'ils ont mangé au restaurant de Pripiat dans la journée du 27 avril sans prendre la moindre précaution. On ne leur distribua des comprimés d'iodure de potassium que le 28 avril, alors qu'ils ressentaient déjà une fatigue intense et d'autres symptômes de l'irradiation.

Sur une photo d'Igor Kostine, on voit une file interminable d'autocars sur la route vers Ivankovo, un centre de district situé à 60 kilomètres de la centrale. Une grande partie des gens qui avaient dû partir de chez eux trouva refuge dans des villages environnants ou à Ivankovo même, chez des habitants, qui n'étaient d'ailleurs pas tous très accueillants; d'autres familles continuèrent à pied en direction de Kiev, pourtant éloigné encore de plusieurs dizaines de kilomètres, dans l'espoir de faire du stop. Naturellement, les plus avisés étaient déjà partis dans la journée du 26, dans leurs propres voitures. Parmi eux, il y avait 4 000 des 5 500 salariés de la centrale, certainement les mieux placés pour évaluer le danger, malgré l'absence d'informations officielles. Certains revinrent quelques jours plus tard, après que le taux de radiation eut diminué, après avoir installé leurs familles chez des proches, mais d'autres décampèrent pour de bon. Le réalisateur du documentaire *Tchernobyl, une chronique des semaines difficiles*, Vladimir Chevtchenko, mort lui-même au début de 1987 des suites de l'irradiation, y montre une scène qui ne fut probablement pas exceptionnelle à la centrale : une réunion de la cellule locale du Parti au cours de laquelle on procède à l'expulsion d'un ingénieur qui s'était absenté pendant plusieurs jours sans justificatif. Ses camarades le traitent de lâche, car il aurait manqué à son devoir dans les jours cruciaux qui ont suivi l'explosion [1]. Qui pouvait prévoir à l'époque que le tout-puissant Parti communiste d'Union soviétique n'existerait plus quatre ans plus tard, et que les victimes irradiées, restées fidèles à leur poste, se retrouveraient le plus souvent abandonnées à leur triste sort?

Pendant que la milice préparait l'évacuation de Pripiat en dressant les listes d'habitants, immeuble par immeuble, entrée par entrée, le général Antochkine arriva dans la ville et se présenta au comité local du Parti. L'endroit était bondé de gens. C'est là que siégeait la Commission gouvernementale. Chtcherbina lui expliqua la situation. « Quand faut-il commencer? » demanda le général. « Tout de suite. »

Mais où trouver un terrain pour les hélicoptères? Où chercher des tonnes de sable? Et des sacs solides? De quelle hauteur fallait-il lancer les sacs dans le réacteur? Avait-on droit d'envoyer des pilotes au-dessus du cratère nucléaire? Et s'ils perdaient connaissance

---

1. Ce film resta interdit par la censure jusqu'en 1989.

pendant le vol ? La Commission n'avait aucune réponse, le général n'avait qu'à se débrouiller.

À l'aube, alors que les membres de la Commission venaient de se coucher, les premiers appareils atterrirent sur la place située devant le bâtiment du *gorkom* [1], qu'Antochkine avait choisie comme héliport. Sur le champ, les colonels Nesterov et Serebriakov partirent pour un vol de reconnaissance, en descendant à 110 mètres au-dessus du réacteur. Le fameux couvercle « Elena », désormais en position inclinée, laissait une fente de près de cinq mètres de largeur où l'on devait projeter des sacs de sable ; l'approche était particulièrement compliquée à cause de la grande cheminée de ventilation haute de 150 mètres. Un puissant courant d'air chaud radioactif montait du réacteur : les dosimètres indiquaient 500 röntgens/heure.

Qui remplirait les sacs ? Il était exclu que ce fussent les pilotes : fatigués, ils ne pourraient pas voler. Se muant en véritable chef autoritaire, le fluet Chtcherbina ordonna alors à ses deux vice-ministres, Chacharine et Mechkov, de puiser eux-mêmes dans un énorme tas de sable près de la rivière, stocké là pour la construction d'un nouveau quartier. Le général Antochkine se joignit à eux. Détail poignant, mais banal pendant ces premiers jours : tous les trois étaient vêtus de leurs costumes ordinaires et n'avaient pas de respirateurs. D'autres responsables se mirent eux aussi à la pelle, alors

---

1. L'abréviation russe pour le comité du Parti d'une ville.

que les hélicoptères s'envolaient et atterrissaient avec un vrombissement tonitruant. Puis on réussit à recruter le jour même près de 150 volontaires parmi les villageois des environs qui ne comprenaient pas bien l'urgence d'une mobilisation par une belle journée de dimanche. Finalement, cette besogne incomba aux ouvriers du bâtiment qui avaient travaillé à la centrale.

Un gigantesque manège se mit en branle. Les meilleurs pilotes militaires, dont certains avaient été transférés d'urgence d'Afghanistan « bombardèrent » sans relâche le réacteur. Le 27 avril, il y eut 110 sorties d'hélicoptères, le lendemain, 300. Le mélange jeté dans la gueule de la fournaise nucléaire était composé de sable, de glaise et de dolomite mélangés avec du bore qui absorbe les neutrons et sert à arrêter la réaction en chaîne. On y versa également du plomb, au moins 2 400 tonnes au total. La décision d'utiliser le plomb fut prise par l'académicien Valéri Legassov, l'un des dirigeants de l'Institut Kourtchatov, qui se suicida deux ans plus tard. Dans des cassettes dictées peu de temps avant sa mort, il a tenté de justifier son choix : le plomb fondu était censé créer un écran de protection contre les rayons gamma [1]. En principe, le plomb devait être largué là où la température était plus basse (grâce à des techniques pointues, on avait constaté qu'elle variait

---

1. La transcription de ses cassettes est consultable sur Internet à l'adresse suivante : http://www.pripyat.com/ru/publications/version/2005/06/03/147.html

d'un endroit à l'autre à l'intérieur de la fournaise), afin d'éviter l'évaporation de ce métal très nocif pour la santé, mais la précision des pilotes confrontés à des conditions incroyablement pénibles n'était pas suffisante pour ne bombarder que les points présélectionnés... Tous les témoins présents sur les lieux se souviennent du goût de plomb sur leurs dents.

Les ruines du réacteur tremblaient comme lors d'un bombardement militaire. D'énormes volutes de poussière radioactive s'élevaient dans l'air. Dans les carlingues, la température atteignait 60 °C. Après les largages, la radioactivité montait à 1 800 röntgens/heure. Au retour, les pilotes vomissaient, mais ils prenaient une nouvelle cargaison et repartaient. Ce n'est que quarante-huit heures après le début de l'opération que les pilotes, sur le conseil de quelques scientifiques, se procurèrent des respirateurs, qu'ils posèrent des feuilles de plomb sur leurs sièges et se confectionnèrent eux-mêmes des gilets en plomb. Le 28 avril, on leur distribua enfin des dosimètres, mais sans y mettre de piles, si bien qu'ils ne marchaient pas. Les vingt-sept premiers équipages et plusieurs personnes qui les aidaient tombèrent malades et furent hospitalisés à Kiev. L'ancien liquidateur Vassili Riasantsev, l'un des responsables de l'union « Tchernobyl » de la Russie, affirme que 600 des pilotes ayant participé à ces opérations – des hommes qui, par définition, avaient une excellente santé –, étaient déjà décédés en

2004, à la date du dix-huitième anniversaire de la catastrophe. On se souviendra par exemple du pilote Vassili Vodolajski, héros national de la Russie, décédé en 1992 à Minsk. Selon sa fiche militaire, en deux mois de survols de la centrale il avait encaissé 7,7 rems, alors qu'en réalité, il en avait reçu 600, une dose généralement « incompatible avec la vie », comme disaient poliment les médecins. On lui découvrit une lymphogranulomatose maligne deux mois après son retour de Tchernobyl, mais son dossier médical portait la remarque typique de l'époque : « sans rapport avec la radiation ».

Au soir du 27 avril, le général Antochkine rapporta avec fierté à Chtcherbina que 150 tonnes de sable avaient été déversées dans le réacteur. Mais le président de la Commission gouvernementale se mit à hurler : « Cent cinquante tonnes pour le réacteur, c'est comme de la grenaille pour un éléphant ! Augmentez le rythme ! » Le lendemain, grâce à une meilleure organisation, on arriva à doubler le résultat. Mais Chtcherbina hurlait toujours. Le général Antochkine demanda alors des parachutes à l'état-major. On remplissait la voilure de sacs, par des suspentes on accrochait le parachute à l'envers au dispositif de largage, et on larguait quinze sacs à la fois. En quelques journées, deux divisions aéroportées abandonnèrent ainsi leur matériel de débarquement : plus de 10 000 parachutes.

Le 29 avril, on déversa 750 tonnes sur le réacteur. C'était toujours trop peu ! Entre-temps, la situation radiologique obligea la Commission gouvernementale et plusieurs autres administrations qui se trouvaient à Pripiat à quitter la ville pour s'installer à Tchernobyl. Le sable qui se trouvait à proximité de la rivière se révéla trop radioactif. On trouva alors une carrière à dix kilomètres de Pripiat. Les réserves de sacs étaient épuisées : on commença à confisquer des sacs dans les magasins environnants, en vidant leur contenu par terre : de l'orge, du sarrasin, du sucre. Du matin au soir, une noria d'hélicoptères continua sa terrible ronde entre Pripiat et la centrale. Le 30 avril, on largua 1 500 tonnes, le lendemain 1 900.

Au soir du 1er mai, Chtcherbina ordonna de diminuer de moitié le largage. Le 2 mai, le réacteur semblait scellé. Mais ce n'était encore qu'une apparence, car la température à l'intérieur du réacteur augmentait. Le 4 mai, l'académicien Evgueni Velikhov monta à son tour à bord d'un hélicoptère. On raconte qu'il soupira en dévisageant le bloc détruit : « Il est difficile de comprendre comment dompter un réacteur... »

L'histoire du ballet d'hélicoptères préfigura la manière dont furent menés tous les travaux de « liquidation des conséquences de l'accident de Tchernobyl » (terme officiel). D'un côté, le régime totalitaire fit preuve de sa fantastique capacité de mobilisation ; de l'autre, il se montra, comme toujours dans le passé, insouciant de la vie humaine. La Commission gouvernementale eut automatiquement recours à la logique staliniste où seule la victoire compte, alors que les pertes militaires ou civiles n'ont aucune importance. Et pour pouvoir proclamer sa mission accomplie devant le Politburo, elle agissait de façon trop hâtive et irréfléchie. Ainsi les largages du sable et du plomb étaient-ils vraiment justifiés ? En réalité, seule une petite partie pénétra dans le réacteur, car le couvercle « Elena » formait un bouclier rejetant l'essentiel des matières déversées vers la salle centrale du bloc, qui se couvrit de monticules de 15 mètres de haut. Par contre, des centaines de pilotes d'élite y ont ruiné leur santé, et la contamination de l'atmosphère par les vapeurs de plomb aggrava davantage la situation radiologique déjà désastreuse. N'est-ce pas l'une des raisons du suicide de Legassov, qui a d'ailleurs commis plusieurs autres erreurs ?

Ainsi commença le dernier grand chantier du communisme.

6
Bataille contre l'ennemi invisible

Pompiers d'unités militarisées, miliciens, pilotes militaires – tels étaient les premiers secouristes de Tchernobyl. Outre les hélicoptères, d'autres engins redoutables de l'armée firent leur apparition sur le terrain dès le 29 avril : des chars T-34 transformés en bulldozers et dotés d'une pince spéciale capable de saisir et de déplacer des objets volumineux, comme des troncs d'arbres ou des débris de métal. Des bricoleurs tapissèrent leurs cabines de feuilles de plomb en réduisant la lunette du conducteur à un petit rectangle. L'idée de la dangerosité de la radiation commençait à faire son chemin.

Pendant que les blindés se mettaient au déblayage autour du troisième et du quatrième blocs, les hélicoptères continuaient à s'activer pour combler le réacteur : Evgueni Ignatenko, un responsable du secteur énergétique nucléaire, se souvient que malgré les efforts de précision des pilotes, des sacs remplis de sable ou des masses de plomb tombaient parfois au milieu des champs où travaillaient paisiblement des habitants du village de Kopat- chi, situé à 7 kilomètres seulement de la centrale (ils ne furent évacués qu'une dizaine de jours plus tard). Ces « bombardements » qui effrayaient les villageois causèrent de nouvelles destructions au quatrième bloc, ce qui nécessita par la suite des travaux de déblaiement supplémentaires [1].

Des hélicoptères, des chars, des blindés – qui allaient bientôt devenir le principal moyen de circulation dans la zone sinistrée –, des gens en tenue militaire grouillant partout, des files d'autocars et de camions pour évacuer des civils... Il n'est pas étonnant que l'opération colossale de liquidation ait été perçue par la population et les militaires eux-mêmes comme une guerre. Le colonel Alexandre Diatchenko, qui a participé à cette opération, l'explique ainsi : « Par son caractère subit, ses dimensions et ses conséquences pour la société et l'envi- ronnement [...], la catastrophe de Tchernobyl est tout à fait comparable à la Grande Guerre patriotique [2]. On sait que la guerre fut imposée à l'URSS par l'Allemagne nazie dont l'armée comptait 8,5 millions de personnes. L'industrie

1. *Samyïe troudnyïe dni* (Les journées les plus difficiles), in *Tchernobyl : katastrofa, podvig, ouroki i vyvody* (Tcherno- byl : catastrophe, exploit, leçons et conclusions), recueil collectif sous la rédaction d'Alexandre Diatchenko, Mos- cou, Inter-Vessy, 1996.
2. Appellation officielle de la Seconde Guerre mondiale en URSS.

allemande fonctionnait selon les plans de l'époque de guerre, alors que notre capacité de défense se trouvait à un niveau qui n'a pas pu assurer le refoulement de l'agresseur lors de la première étape de l'offensive allemande. » C'est à cette impréparation à la guerre que le colonel compare l'affolement total du personnel et des instances concernées lorsque « l'atome paisible [1] » est passé subitement à l'attaque. Ce désarroi fut également décrit par l'académicien Legassov : « Impréparation, gabegie, effroi... C'était exactement comme en 1941, mais en pire. Avec le même Brest [2], le même courage, le même désespoir... » Aux yeux de Diatchenko, la création de la Commission gouvernementale chapeautée par le Groupe opérationnel du Politburo eut la même importance pour l'organisation des travaux de liquidation que la création du Comité d'État à la défense et du Grand Quartier général en avait eue pour mettre en branle la machine de guerre soviétique en 1941.

En effet, trois jours seulement après la catastrophe, Mikhaïl Gorbatchev proposa de créer le Groupe opérationnel du Politburo sous la direction du président du Conseil des ministres,

1. Appellation usuelle du nucléaire civil. La propagande se vantait beaucoup d'avoir maîtrisé l'atome pour le mettre au service du peuple.
2. Allusion à un épisode célèbre de la Seconde Guerre mondiale : encerclée, la garnison peu nombreuse de la forteresse de Brest en Biélorussie résista aux Allemands, du 22 juin 1941 jusqu'aux derniers jours de juillet.

Nikolaï Ryjkov. Pourquoi ce doublon ? Théoriquement, le Groupe opérationnel était censé aider la Commission gouvernementale dans ses démarches, et faciliter la mobilisation des ressources et des hommes sur le plan national. Dans la pratique, on instaura ainsi le contrôle absolu du Parti : il devait s'exercer ici comme partout ailleurs. Le Groupe comptait parmi ses membres des hauts fonctionnaires du Conseil des ministres et du KGB, faisant partie du Politburo, ainsi que les ministres de la Défense et de l'Intérieur. La lecture des protocoles secrets de ses séances de travail – rendus publics grâce à l'audace de la journaliste Alla Yarochinskaya à la fin de l'époque soviétique – est passionnante et terrifiante à la fois : on y suit pas à pas la véritable politique des « sages du Kremlin », dont les grandes priorités étaient de remettre, le plus rapidement possible, la centrale sinistrée en marche, et de réduire au minimum les effets négatifs de la catastrophe sur la scène internationale [1].

Lors de la première séance de travail, le 29 avril 1986, le Politburo décida de préparer un communiqué sur l'accident pour « les dirigeants de certains pays capitalistes », et un autre

---

1. À ma connaissance, ces protocoles n'ont été publiés qu'en langues russe et allemande. *Cf.* Alla Yarochinskaya, *Tchernobyl. Soverchenno sekretno* (Tchernobyl. Strictement confidentiel), Moscou, Drouguïïe Berega, 1992. Voir également la traduction de ce livre en français, mais sans les protocoles eux-mêmes : *Tchernobyl. Vérité Interdite*, La Tour-d'Aigues, Artel/Éd. de l'Aube, 1993.

(plus confidentiel?) pour «les dirigeants de certains pays socialistes». Certes, les pays capitalistes ne se laissèrent pas berner par la version très édulcorée du Politburo. Même si les autorités françaises ignorèrent superbement le passage du nuage de Tchernobyl au-dessus d'une grande partie de la France, elles rappelèrent néanmoins, tout comme la Grande-Bretagne ou l'Italie, leurs étudiants de Moscou et de Kiev.

La tentative de berner son propre peuple se révéla plus fructueuse. Le 1er mai, le Politburo donna l'ordre d'envoyer aussitôt «dans les districts situés autour de la centrale un groupe de journalistes soviétiques afin qu'ils préparent, pour la presse et la télévision, des reportages témoignant d'une vie normale dans ces districts-là». Et malgré la panique qui régnait déjà dans la capitale ukrainienne, on y maintint la manifestation traditionnelle du 1er Mai. Contraints par les cellules du Parti et du komsomol ou par les syndicats, un million d'ouvriers, d'employés, d'étudiants et d'écoliers défilèrent dans les rues de la capitale ukrainienne, au moment d'un pic de radioactivité. Sur une photo de Kostine, on voit ces manifestants qui regardent d'un œil sombre une troupe de danseuses affublées de costumes folkloriques. Ce fut la même chose à Minsk et dans toutes les autres villes soviétiques, à l'exception de la petite cité de Tchernobyl où la manifestation fut annulée au dernier moment, alors que tout avait déjà été installé pour la fête – ou plutôt pour un festin en temps de peste. Comme s'en souvient le bon colonel Ignatenko, « la ville était décorée d'affiches et de drapeaux. Les terrains de jeux pour enfants, avec leurs guirlandes d'ampoules, étaient particulièrement mignons. Des tulipes commençaient à s'ouvrir près du comité du Parti de la ville où siégeait désormais notre état-major ».

Entre-temps, le nombre de personnes irradiées augmentait : on dénombrait 1 882 hospitalisés au 4 mai, 2 757 le lendemain, 4 301 le 6 mai, 5 415 dont 1 928 enfants le 8, 8 695 dont 2 630 enfants le 10, 10 198 le 12. Naturellement, il fallait étouffer au plus vite cette affaire. Le Politburo prit alors une décision ingénieuse. Dans ses protocoles du 8 mai, on lit : « Le ministère de la Santé de l'URSS a décrété les nouvelles normes de niveaux admissibles en matière d'irradiation de la population par des rayonnements ionisants, supérieures de dix fois par rapport aux normes précédemment en vigueur. Dans certains cas, il est possible d'augmenter ces normes jusqu'à cinquante fois. » Faut-il s'étonner qu'en accord avec ces instructions, beaucoup d'irradiés furent bientôt renvoyés chez eux, avec de faux diagnostics ?

Mais revenons au combat contre « l'ennemi invisible », bien plus redoutable et tenace que les hordes d'Allemands. Il est difficile d'imaginer aujourd'hui le gigantisme des travaux entrepris au cours de cette « liquidation », inachevée à ce jour. L'atome paisible se révéla fort sournois. Dans son rapport fondamental de 1995, l'Académie des sciences de l'Ukraine constate : « En 1986-1987, la Commission gouvernementale n'entérinait que des mesures que l'on pouvait réaliser (ou commencer à réaliser) en quelques jours, sans arguments scientifiques valables quant à leur utilité. Confrontée à l'unicité de la catastrophe de Tchernobyl et à l'absence totale d'expérience face aux rejets radioactifs d'une énorme envergure, la Commission eut souvent recours à des procédés qui ne servaient aucunement la protection de l'environnement [1]. » L'histoire des travaux de liquidation est un récit chargé d'héroïsme, mais aussi de fausses ambitions, d'incompétence et de crimes contre le peuple.

Quels furent les premiers travaux menés sur le site de la centrale dans le mois qui a suivi l'explosion ? Après l'intervention des pompiers, des miliciens et des pilotes, vint le tour de plusieurs brigades de troupes « chimiques ». Le 30 avril, le maréchal Akhromeïev, chef de l'état-major général de l'Armée soviétique, annonça au Politburo que l'une d'elles, forte de plus de 2 500 hommes, allait commencer, à l'aide d'engins motorisés, la décontamination du site. Les mêmes « chimistes » vêtus de longs imperméables, portant des « groins » – des masques à

---

1. *Tchernobylskaïa katastrofa* (recueil collectif sous la rédaction de l'académicien V. Bakhtariar), Kiev, Naoukova Doumka, 1995.

gaz de la Seconde Guerre mondiale –, lavèrent au tuyau des engins militaires et des voitures. Le Politburo ordonna d'acheter en France près de 20 tonnes d'une émulsion décontaminante, mais n'envisagea pas l'acquisition de quelques banales installations de lavage automatique. L'un des soucis du Politburo était d'ailleurs d'assurer rapidement la production d'un décontaminant « made in USSR », pour ne pas dépenser les précieuses devises.

Mais le plus grave souci restait le réacteur endommagé. Le bassin « barboteur » sous le réacteur et les locaux souterrains situés sous la salle du réacteur avaient été totalement inondés. On craignait que le magma nucléaire ne s'écoule du réacteur et n'entre en contact avec de l'eau, ce qui risquait, dans certaines conditions, de provoquer une explosion nucléaire. L'académicien biélorusse Vassili Nesterenko, qui a participé aux calculs au sein d'une grande équipe de scientifiques, affirme : « Kiev aurait été rasée. Toute la population de Minsk, de Gomel et d'autres villes biélorusses aurait été très fortement irradiée. La Biélorussie serait devenue inhabitable à tout jamais [...]. Je suppose que l'Europe entière serait devenue durablement impropre à l'habitation. Nous pensions que la probabilité d'une explosion nucléaire ne dépassait pas 5 à 10 % [...]. Mais les autorités biélorusses, par exemple, ont donné l'ordre de préparer des trains et des cars pour évacuer la population de Minsk et de Gomel. Je suppose que des préparatifs ont été également mis en place en Ukraine. » Le 3 mai, le Groupe opérationnel du Politburo est déjà en état d'alerte : « L'évacuation d'eau du bassin " barboteur " est l'objectif le plus important : une solution urgente est indispensable afin d'empêcher un développement dangereux. » Même dans ses protocoles secrets, le Politburo restait évasif !

Pour accéder au « barboteur » et mettre en marche le pompage, la présence humaine se révéla nécessaire. Un collaborateur de la centrale se porta volontaire pour plonger dans l'eau dont la radioactivité atteignait 1 curie/litre. Le 5 mai au soir, le nouveau chef de la Commission gouvernementale, Ivan Silaïev, qui avait pris la place de Chtcherbina, irradié et renvoyé à Moscou pour des soins, remercia le héros et lui remit une enveloppe de mille roubles : cinq ou six mois de salaire pour le sacrifice d'une vie. D'après Grigori Medvedev, lorsque la Commission débattait de telle ou telle décision à prendre, le vice-président du Conseil des ministres de l'URSS, Silaïev, disait souvent : « Pour ça, il faut compter deux ou trois vies et pour ça, une vie... »

Une fois le pompage achevé, vers le 7 mai, on essaya, sur proposition de l'académicien Legassov, de remplir le réacteur explosé d'azote gazéifié, pour le refroidir. En vingt-quatre heures, on monta une installation pour transformer l'azote liquide en gaz que l'on envoyait dans le réacteur, à une température de − 100 °C. Mais on n'obtint pas l'effet escompté : Legassov reconnaît lui-même que l'ajout de l'azote à l'air n'a rien changé, puisque le réacteur était éventré.

Deux jours plus tard, sous l'impact du poids du sable et du plomb, le magma nucléaire creva en effet le fond de la cuve du réacteur et se déversa dans le « barboteur » déjà vidé, en produisant un nouveau rejet important de radionucléides dans un énorme nuage de poussière. Cet incident gâcha aux militaires la fête de la Victoire du 9 mai : ce jour-là, il a fallu larguer encore 80 tonnes de plomb sur le réacteur pour arrêter sa nouvelle éruption. Mais les scientifiques restaient très inquiets : dès le début du mois, on craignait également que le magma ne finisse par pénétrer dans le sol, et ne contamine la nappe phréatique. Il fut décidé de remplir le « barboteur » avec du béton mélangé à de la magnésite et de construire, en dessous, un « coussin de protection » pour isoler les fondations du sol et refroidir en permanence le magma, grâce à des conduits d'eau. Plusieurs milliers d'hommes supplémentaires, militaires et civils, furent mobilisés : des sapeurs, des mineurs, des soldats de troupes de génie et des ouvriers du bâtiment.

Le récit d'un officier de haut rang, Alexandre Nossatch, décédé lui-même il y a quelques années des suites de l'irradiation, montre bien le climat militarisé et le stakhanovisme instaurés par la Commission gouvernementale :

Au début mai, la bataille de Tchernobyl venait de commencer [...]. Mais on ne peut mener une offensive sans se frayer des passages à travers les barrages de l'adversaire. Autour du quatrième bloc, ces barrages étaient la radiation et la topographie [les débris produits par l'explosion et les amoncellements de sable et de graphite], ainsi que l'absence de routes aménagées, de ponts sur le Pripiat, d'engins de construction protégés contre la radiation. Par contre, nous disposions de vaillants sapeurs soviétiques sous les ordres de leur sage chef, le maréchal des troupes de génie Aganov : ils étaient prêts à liquider ces barrages sous le « feu » incessant de la radiation [...]. Sous le soleil torride, ils travaillaient sans interruption du matin jusqu'à la nuit profonde. Ainsi, un équipage d'IMR [1] – l'officier V. Daviï et le soldat S. Movchan – ramassa et chargea en une seule journée plus de cent trente containers avec des débris radioactifs et de la terre. Mais la situation exigeait davantage ! Plus vite ! Encore plus vite [2] !

Le creusement d'un puits de 10-12 mètres de profondeur, puis, à partir de ce puits, d'une galerie de 170 mètres de longueur passant sous le réacteur, fut confié aux mineurs de Donbass et de Toula. Moscou ordonna que le travail,

---

1. Abréviation russe pour le char T-34 réaménagé en bulldozer.
2. Alexandre Nossatch, « Tchernobylskiïe boudni » (Le quotidien de Tchernobyl), in *Tchernobyl : katastrofa, podvig, ouroki i vyvody, op. cit.*

y compris la pose du « coussin protecteur », fût accompli en un mois. Le 12 mai, les premiers mineurs de Donetsk arrivèrent à Tchernobyl. Leur chef, Evgueni Novik, témoigne :

À cause d'une forte contamination (jusqu'à 10 röntgens/heure), la fouille était recouverte d'une pellicule spéciale, et le niveau de radiation n'y dépassait pas 1 röntgen/heure. Selon le planning, très rigide, le rythme moyen était de 13 mètres courants par jour... Ce rythme était assuré, voire dépassé, parce que pratiquement tous les équipements fonctionnaient sans pépin, car il n'y avait rien qui pût être cassé. Au début, on avait songé à mécaniser les travaux, mais on finit par adopter un schéma de travail à 90 % manuel, ce qui aboutit à une forte irradiation des mineurs. On creusait avec des marteaux-piqueurs, on chargeait avec des pelles, on roulait manuellement des berlines de 0,5 m³ [...]. Les travaux étaient menés jour et nuit, par des équipes se relayant toutes les trois heures [...]. Pour arriver jusqu'à la fouille, on circulait en blindés. Chaque équipe montait à bord d'un blindé (une douzaine de personnes), certains s'asseyaient sur des bancs, d'autres étaient assis par terre [...]. Dans le blindé, il y avait un dosimètre (avec une échelle de mesure allant jusqu'à 75 röntgens/heure) dont l'aiguille, au moment du passage en proximité du réacteur, se bloquait immanquablement [...]. Les blindés étaient vieux et tombaient souvent en panne, et les conducteurs étaient des soldats de 18-19 ans. Lorsque nous passions par là, nous espérions que le moteur ne cale pas, car sortir et continuer à pied équivalait à un suicide. Dans le blindé, la radiation baissait de quatre fois, et si, selon le dosimètre, elle dépassait 75 röntgens/heure, dehors elle devait faire plus de 300 röntgens/heure. Et de combien était ce « plus », personne parmi nous ne le savait. Les conducteurs recevaient de fortes doses d'irradiation, car ils travaillaient douze heures par jour et passaient à plusieurs reprises, quotidiennement, près de cet endroit sinistre. Nous engueulions en permanence leurs supérieurs pour leur indifférence à la santé de ces jeunes gosses qui travaillaient presque tous sans moyens de protection ni dosimètres individuels. Aucun soldat ne savait quelle dose il avait encaissée [1].

Enfin, vers le 28 mai, on procéda à la construction d'un « coussin » souterrain en béton, ouvrage carré d'une complexité considérable qui mesurait 30 mètres de côté et avait 2,5 mètres d'épaisseur. Les travaux furent accomplis dans les délais prévus. Six mois plus tard, les héros qui avaient travaillé dans un milieu radioactif, sous terre, par une température de 50 °C, pratiquement sans aération (pour diminuer la circulation de radionucléides), furent oubliés. Beaucoup de mineurs tombèrent malades. Trente d'entre eux se trouvèrent rapidement invalides, mais les médecins

---

1. Evgueni Novik, « Chakhtiory » (Les Mineurs), in *Tchernobyl : katastrofa, podvig, ouroki i vyvody, op. cit.*

n'ont reconnu un lien entre l'irradiation et l'invalidité que pour une personne seulement.

D'autres travaux cyclopéens furent menés pour prévenir la contamination de la rivière Pripiat, qui est un affluent du Dniepr. En premier lieu, il fallait empêcher que les pluies et le ruissellement n'emportent la poussière radioactive du site de la centrale et des environs très contaminés vers le Pripiat. Afin d'empêcher que les pluies ne s'abattent sur la zone la plus contaminée, des avions spéciaux bombardaient les nuages pour déclencher les intempéries à quelques dizaines de kilomètres du site. C'est de là qu'est née l'une des légendes de Tchernobyl : le Politburo aurait ordonné de dévier le nuage radioactif vers la Biélorussie pour qu'il épargne Moscou.

Dans un même souci, la Commission gouvernementale décida, dès le début mai, de procéder à l'endiguement de la rive droite du Pripiat, sur une longueur de 10 kilomètres. Mais ce ne fut que l'une des nombreuses mesures de protection aquatique réalisées en 1986-1987. L'un des ouvrages les plus complexes fut un mur de 8 kilomètres entourant partiellement la station et creusé dans le sol à une profondeur de 30-35 mètres. Ce mur rempli de bentonite était censé filtrer les eaux contaminées pour empêcher la pénétration de radionucléides dans la rivière. On créa également un « rideau » de drainage entre le bassin de refroidissement de la centrale et le Pripiat. Cette installation comportant quatre-vingt-seize puits devait assurer le pompage et l'épuration des eaux souterraines en cas de contamination radioactive. Et au sud de la centrale, on érigea un autre « rideau » de drainage comportant cinquante-quatre puits, pour protéger la rivière d'éventuels cours d'eau souterrains. Au total, on construisit cent trente et une digues pour barrer de nombreuses petites rivières et des canaux, et limiter ainsi l'écoulement des eaux contaminées dans le gigantesque lac artificiel de Kiev et d'autres réservoirs sur le Dniepr. La longueur totale de ces digues était de 18 kilomètres. Par ailleurs, on installa des filtres biologiques au fond de plusieurs rivières et réservoirs ; enfin, on construisit un système permettant de diriger, en cas de besoin, les eaux des canalisations industrielles et ordinaires de la ville de Pripiat vers des stations d'épuration spécialement équipées.

Mais pourquoi faire des travaux dans cette ville contaminée au plutonium et devenue inhabitable pour au moins vingt-quatre mille ans [1] ? C'est que, dans un premier temps, le Politburo avait eu une vision des choses tout à fait différente. L'évacuation avait été d'abord conçue comme une mesure temporaire. On avait même poursuivi l'approvisionnement de Pripiat en électricité et en eau courante. Des frigos ont ainsi continué à ronronner dans les appartements déserts et des miliciens ont patrouillé dans les rues pour empêcher la

---

1. La période du Pu-239 est de 24 380 ans.

maraude et les pillages. Le 9 juin, les « sages du Kremlin » demandèrent à un groupe de hauts dignitaires – dont le maréchal Akhromeïev, le ministre de l'Énergie, Maïorets, et le président du Comité météorologique, l'académicien Iouri Izrael – de présenter dans un délai de deux semaines des conclusions portant sur la possibilité d'une reprise d'activité et d'un retour de la population. L'idée d'un repeuplement de la ville fantôme ne fut abandonnée que plus tard : à partir de fin juillet 1986, on autorisa les évacués de Pripiat à revenir pour prendre leurs affaires, à condition de les soumettre à un contrôle dosimétrique.

En 1995, l'Académie des sciences ukrainiennes porta un regard sévère sur la plupart des mesures de protection aquatique. Voici ce que l'on peut lire dans le rapport de l'Académie : « Il était inutile d'endiguer la rive droite du Pripiat. En mai 1986, on ne savait pas encore que des centaines de milliers de curies se trouvaient dans les terres submersibles de la rive gauche dont près de 20 000 curies de strontium [...]. Vers août 1986, plusieurs chercheurs ukrainiens ont déjà compris que le transfert des radionucléides de Tchernobyl s'effectuait sous forme de colloïdes de taille submicronique qui ne pouvaient être retenus par des filtres [...]. La Commission gouvernementale de l'URSS [qui écoutait surtout le grand chimiste Legassov, grand promoteur de filtres adsorbants – G.A.] n'a pas réagi aux protestations de ces chercheurs contre la construction des digues [...]. Depuis, on a pu démontrer la très basse efficacité de ces digues et autres installations filtrantes. Par contre, il y a eu un effet néfaste : une partie considérable des crues du printemps s'est accumulée devant les digues, provoquant des inondations supplémentaires des territoires à contamination intense, causant la destruction des forêts sur 4 000 hectares et une contamination supplémentaire des sols. » Bref, conclut l'Académie, « les mesures prises dans la première période suivant la catastrophe ont été peu efficaces, car leur objectif était la protection de l'eau d'une contamination secondaire, et non celle de la population [1] ». Comme les radionucléides de Tchernobyl migrent très lentement dans le sol, il aurait été préférable d'organiser l'approvisionnement en eau des populations concernées à partir de puits artésiens, car les eaux souterraines, justement, sont restées propres.

Le seul point vraiment positif – mis à part, peut-être, l'endiguement du site même de la centrale –, fut « l'effet social considérable de ces mesures pour baisser le niveau d'inquiétude des habitants du bassin du Dniepr et en particulier de la région de Kiev ». Mais était-ce une raison suffisante pour exposer des milliers et des milliers de soldats à l'irradiation ?

Iouli Andreïev, vice-directeur scientifique de la société *Spetsatom* (service national d'aide

---

1. *Cf. Tchernobyl : katastrofa, podvig, ouroki i vyvody, op. cit.*

urgente en cas d'accidents nucléaires), confirme le verdict de l'Académie des sciences ukrainienne : « Entre mai et août 1986, je me suis trouvé constamment à la centrale de Tchernobyl. Officiellement, j'ai été responsable de l'élaboration des méthodes de désactivation de la centrale [...]. J'ai souvent participé au *brain storming* pour définir une stratégie sensible. Logiquement parlant, la stratégie la plus intelligente aurait été de renvoyer chez eux ces quarante mille personnes qui encaissaient tous les jours leur dose dans la zone et dépensaient une quantité incroyable de ressources, ainsi que d'arrêter les travaux d'une envergure et d'un coût incroyables que l'on réalisait pour Tchernobyl dans tout le pays. On aurait dû clôturer le territoire du site, enlever le combustible nucléaire des réacteurs restants et conserver la centrale telle quelle pour de très longues années [...]. Mais il était totalement irréaliste d'insister sur une stratégie pareille. Les véritables chefs qui se trouvaient au pouvoir étaient obnubilés par l'idée de remettre au travail les trois réacteurs arrêtés [...]. J'ai seulement réussi à diminuer un peu les frais de l'entreprise absurde de reconstruction de Tchernobyl. Ainsi, en partie grâce à mon insistance, on a arrêté la construction d'un " mur dans le sol " incroyablement cher et d'un " rideau de drainage [1] ". »

---

1. Iouli Andreïev, *Tchernobylskiïe zarissovki* (Des croquis de Tchernobyl), *cf.* http://www.nsu.ru/materials/ssl/text/metodics/andreev.html

Dans ces conditions, on peut se demander si, au moins, le creusement d'une galerie souterraine et la construction d'un « coussin » sous le bassin « barboteur » étaient indispensables. Voici l'avis consigné dans le très officiel ouvrage de référence *Tchernobyl : événements et leçons* [1] : « Actuellement, les spécialistes considèrent que la construction d'une dalle avec un échangeur calorifique était une mesure de précaution superflue. » Iouli Andreïev explique pourquoi : « Pratiquement tout le combustible [...] avait été rejeté hors du réacteur. Une part du combustible qui participa à l'explosion [2] s'évapora immédiatement, et le reste [...] fut dispersé autour du réacteur [...]. Une certaine quantité, pas plus de quelques dizaines de tonnes, retomba dans le réacteur et se mit à fondre [...]. Même sans réaction en chaîne, le combustible nucléaire usé émet, pendant plusieurs semaines, suffisamment de chaleur pour fondre lui-même et faire fondre des constructions environnantes. Ce combustible en fusion a fini par faire un trou dans le fond du réacteur endommagé par l'explosion et a coulé avec du béton fondu et du sable, dans le bassin « barboteur » sous le réacteur où il s'est figé en se transformant en un minerai stable

---

1. V. Vozniak, A. Kovalenko, S. Troïtski (sous la direction de E. Ignatenko), *Tchernobyl : sobytiïa i ouroki*, Moscou, Politizdat, 1989.
2. Iouli Andreïev considère que c'était une explosion nucléaire, et non thermique.

appelé désormais " tchernobylite " ou " pied d'éléphant " [1]. »

Mais l'histoire ne connaît pas le conditionnel. En mai juin 1986, les travaux de liquidation venaient seulement de commencer.

---

1. On peut voir ce « pied d'éléphant » sur une photo anonyme sur Internet : http://www.obolon.info/u/stopatom/f406.htm ou sur http://www.souzchernobyl.com/ru/?id =514

7

Le désastre prend de l'ampleur

Une des premières mesures prises par la Commission gouvernementale fut l'établissement des cartes de contamination radioactive de la centrale de Tchernobyl et de la zone environnante, puis, en cercles plus ou moins concentriques, des régions voisines et de tout le territoire européen de l'URSS. Le Comité d'État à l'hydrométéorologie dirigé par Iouri Izrael fut chargé de dresser ces cartes, avec l'aide logistique du ministère de la Défense. À partir du 27 avril 1986, quatre avions laboratoires, équipés d'appareils de contrôle radiologique, furent mis à la disposition des météorologues. Au cours des premiers trois mois, ils firent 285 survols de la partie européenne de l'Union soviétique, en collectant des échantillons d'air. Le capitaine Alexandre Matouchtchenko, directeur du Centre scientifique auprès du ministère de la Défense, se souvient de la complexité de cette tâche : « Que de heurts entre spécialistes, causées par l'insuffisance, voire le caractère contradictoire des données... Car il s'agissait de sources de contamination radioactive à caractère unique, à intensité variable et à composition isotopique complexe, le tout aggravé par l'instabilité climatique printanière. »

Le travail le plus dur et le plus dangereux fut accompli par des centaines de pilotes d'hélicoptères, sous le commandement du général Antochkine : ils mesuraient différents taux de radioactivité en survolant quotidiennement la centrale à basse altitude. Dès les premiers jours qui ont suivi l'accident, cette élite de l'aviation soviétique, composée de nombreux militaires ayant servi en Afghanistan, effectua non seulement les largages de sable et de plomb dont il a été question plus haut, mais aussi de nombreux passages au-dessus du réacteur explosé, avec, à bord, des membres de la Commission gouvernementale, des scientifiques et des journalistes. En mai, on commença à mesurer le taux de radioactivité de la zone proche du réacteur à l'aide de capteurs accrochés à des câbles, ce qui nécessitait une exceptionnelle maîtrise du pilotage. Début août, on réussit, à partir d'hélicoptères, à installer, directement dans les décombres du réacteur, neuf « bouées » spéciales qui émettaient des informations sur les émissions gamma, ainsi que sur la température et la vitesse de courants d'air verticaux et horizontaux.

L'opération dénommée « Aiguille » occupe une place à part dans l'histoire de la liquidation. En fait, début mai, la Commission gouvernementale avait élaboré plusieurs plans pour mesurer la température au sein du réacteur. Après moult travaux préliminaires infructueux (car les niveaux de radiation interdisaient toute approche immédiate), il fut décidé, en juin, d'introduire une sonde de 18 mètres de long et d'une dizaine de centimètres de diamètre, « fourrée » de capteurs, directement au sein du réacteur. Il s'agissait là aussi d'un travail d'orfèvre, car cette sonde, suspendue à une drisse de 200 mètres de longueur, devait être profondément enfoncée dans un matériau relativement friable. Après quelques vols d'entraînement, l'opération fut fixée au 19 juin. La troisième tentative du pilote Nikolaï Melnik fut la bonne. Mais il fallait récupérer l'autre bout de la drisse, auquel on allait attacher d'autres capteurs. Malheureusement, celle-ci n'était pas retombée « du bon côté ». Alors, sur l'ordre des scientifiques qui surveillaient la manœuvre, trois militaires sautèrent dans un blindé recouvert de feuilles de plomb et se rendirent au quatrième bloc. L'un d'eux courut dans un couloir qui longeait le réacteur détruit et se retrouva finalement près de l'endroit où se trouvait la drisse. Il passa par la fenêtre, saisit la drisse et la fit rentrer dans le bâtiment. Les deux autres le rejoignirent aussitôt et, ensemble, ils portèrent la drisse à l'endroit prévu.

Perçue comme l'un des exploits de l'épopée tchernobylienne, cette opération censée faciliter la prise des décisions lors des travaux de liquidation eut ses détracteurs. Ainsi, Anatoli Khroulev, chef de laboratoire à l'Institut Kourtchatov, présent sur place et qui s'était déjà prononcé contre les largages, considérait l'installation de l'« Aiguille » et des « bouées » comme une « idiotie ». La modélisation mathématique qu'il avait réalisée démontra l'inefficacité de ces instruments de mesure : des morceaux de combustible nucléaire éparpillés aux alentours de la centrale émettaient des rayonnements qui provoquaient des interférences, d'où la difficulté de reconstituer ce qui se passait dans le réacteur et d'en prévoir les futurs comportements. « C'est sur ces données que se basait Valeri Alexeïevitch [Legassov] pour conseiller la Commission gouvernementale. Les pilotes survolaient le réacteur à cœur ouvert au risque de leurs vies, et c'était peu efficace », affirmait-il [1].

Les survols en avion et hélicoptère ainsi que l'établissement des cartes de contamination radioactive de l'air et du sol étaient des préludes indispensables aux opérations d'évacuation des populations et aux travaux de désactivation dont l'ampleur augmentait, au fur et à mesure que la Commission gouvernementale réalisait l'étendue du désastre.

Après l'évacuation de la ville de Pripiat, le 3 mai 1986, sur ordre de la Commission gouvernementale, on procéda à celle d'une

1. Cité par Lenina Kaïbycheva, *Posle Tchernobylia* (Après Tchernobyl), Moscou, IzdAT, 1995.

zone d'un rayon de 10 kilomètres autour de la centrale. Cela concernait quinze villages où vivaient 9 861 personnes. S'y ajoutaient 10 000 têtes de bétail. Le lendemain, ce fut le tour de la ville de Tchernobyl, avec ses 15 000 habitants, et des trente-trois villages situés dans un rayon de 30 kilomètres autour de la centrale (14 000 personnes au total). Des postes de contrôle sanitaire et de désactivation des moyens de transport étaient en place à la frontière de cette vaste zone, desservis par les soldats des troupes « chimiques ». Du côté ukrainien, la population fut entièrement évacuée vers le 7 mai et relogée, à titre temporaire, dans cinquante-trois localités de plusieurs districts de la région de Kiev. On déplaça également 75 500 bovins, plus de 7 000 cochons, plus de 11 000 brebis et 2 300 chevaux.

Si le bétail fut épargné, par contre, la population se heurta à l'interdiction totale d'amener ses petits compagnons : chiens, chats et oiseaux. À Pripiat, où on avait annoncé aux gens qu'ils allaient revenir « dans deux ou trois jours », les autorités se chargèrent de « faire le nécessaire pour les animaux de compagnie ». Ailleurs, on expliqua aux évacués que fourrure ou plumage étaient radioactifs et que, par conséquent, il était strictement impossible d'emmener ces animaux. Pour la plupart, ce fut un déchirement. Voici ce que raconte le colonel Evgueni Ignatenko :

> Un habitant de Tchernobyl avait quelques centaines de ragondins, il ne voulait pas les

laisser et se cachait dans la ville évacuée. Le comportement des animaux était bizarre... Pour mon travail, je me déplaçais beaucoup pendant la nuit. Souvent, des renards ou des lièvres devenus fous se jetaient littéralement sous les roues de ma voiture. Les petits oiseaux quittèrent le territoire autour de la centrale, et cela me fit un effet bizarre de lire dans la *Pravda*, vers la mi-mai, l'article d'un journaliste connu, Goubarev, intitulé : « Les rossignols chantent au-dessus de Pripiat ». À cette époque, à Pripiat, non seulement il n'y avait plus de rossignols, mais on ne trouvait même plus de moineaux. Il restait encore des corbeaux, et un oisillon de cigogne sortait sa tête d'un nid, dans le village de Ditiatki. Il criait à fendre le cœur, car il était affamé, mais ne savait pas voler, et ses parents visiblement étaient morts.

Après le départ des habitants, les chiens et les chats laissés par leurs maîtres offraient un spectacle pitoyable... Quelques jours plus tard, l'horreur a commencé. L'inspection sanitaire, souhaitant éviter des épidémies, prit la décision de tuer tous ces animaux. L'on fit venir des équipes spéciales de chasseurs qui commencèrent l'extermination massive des bêtes. Des dizaines de cadavres ensanglantés s'entassaient dans les rues ; au début, les animaux domestiques se ruaient eux-mêmes avec joie vers leurs assassins. Puis, ceux qui n'avaient pas été exterminés dans les premiers jours s'enfuirent en rase campagne. Mais peu d'entre eux eurent la vie sauve. Des chevaux, des vaches, des cochons, des chèvres rodaient dans les champs. L'étang du village de Zalessié et la rivière d'Ouj,

près du village de Tcherevatch étaient pleins
d'oies et de canards domestiques. Peu à peu,
des « partisans [1] » et des « liquidateurs » chas-
sèrent et consommèrent toutes ces bêtes [2].

L'ancien responsable des programmes de
vulgarisation scientifique de la télévision biélorusse, Pavel Chevtchouk, raconte que dans
certains villages où l'on enterrait les animaux
tués dans des fosses communes, la terre continuait à bouger pendant deux ou trois jours [3].
Mais les animaux n'ont personne pour commé-
morer leur holocauste... À ce jour, aucune
photo témoignant de ces massacres n'a été
publiée. Comme le rapporte Grigori Medvedev,
certains chiens et cochons firent cependant de
la « résistance » : les premiers se rassemblaient
en meutes pour chasser des chats rescapés, des
rongeurs, ou d'autres menues bestioles, alors
que des petits troupeaux de cochons se nourris-
saient surtout des cadavres d'animaux fusillés
ou morts irradiés. Un an ou deux plus tard, ces
animaux devenus sauvages périrent à leur tour
des suites de la pollution radioactive.

Ancienne chercheuse d'un institut top secret
rattaché au combinat *Maïak* qui menait des

---

1. Juste après la catastrophe, les réservistes mobilisés pour
des travaux à Tchernobyl ont reçu le surnom de « partisans », alors que divers personnels civils envoyés à
Tchernobyl étaient qualifiés de « liquidateurs ». Plus tard,
on a appliqué ce nom de liquidateurs à tous ceux qui ont
travaillé à Tchernobyl et dans les zones contaminées.
2. *Cf. Tchernobyl : katastrofa, podvig, ouroki i vyvody, op. cit.*
3. Interview accordée à l'auteur.

études complexes sur les conséquences sanitaires et écologiques des accidents nucléaires en Oural, Natalia Manzourova fut envoyée en mission à Tchernobyl immédiatement après l'accident. Dans ses souvenirs publiés sur le site de Bellona, Manzourova relate une histoire incroyable [1]. Au printemps 1987, elle a visité un jardin d'enfants à Pripiat, où l'on avait envisagé d'installer des laboratoires radiochimiques. « C'était comme après une bombe à neutrons. Les gens n'étaient plus là, mais leurs affaires restaient intactes. Des rangées de minuscules chaussures, des petits pots dans les toilettes, des vêtements de rechange dans des casiers... Dans une cage, le cadavre desséché d'un hérisson... Dans une autre, des plumes d'un oiseau mort... Dans un dortoir, un chien vivant gisait sur un lit... Il descendit difficilement par terre et s'approcha de moi. Je fus horrifiée. Il n'avait plus de poils en bas des pattes, sa chair nue saignait. Un mince filet de salive coulait sans arrêt de sa bouche. Ses yeux étaient vitreux et je ne savais pas s'il voyait quelque chose. Il avait été brûlé aux rayons bêta car il marchait, depuis un an, sur le sol et l'herbe contaminés. Et comme il mangeait, depuis un an, des rongeurs " sales ", il souffrait aussi d'une brûlure interne. » En 1988, Manzourova passa dans l'hôpital abandonné de Pripiat, et là, sur un lit, elle retrouva le même chien : « Apparemment,

---

1. *La Zone*, *cf.* http://www.bellona.no/ru/international/ecopravo/36646.htm

lorsque nous avions occupé le jardin d'enfants, il était allé au service pédiatrique de l'hôpital, pour mourir sur un lit d'enfant. Il devait être très attaché aux enfants. Le chien était mort la tête relevée et tournée un peu vers l'arrière. Une année plus tard son cadavre ne s'était pas putréfié, mais il s'était momifié, car l'air saturé de radionucléides avait tué les micro-organismes qui participent à la décomposition des tissus organiques. » Comme un photographe découvrant un camp de concentration désert, Igor Kostine avait pris la photo de cette momie squelettique, avec une oreille dressée et une autre tombante, sans connaître son histoire.

Mais si les autorités sanitaires ont interdit l'évacuation des animaux de compagnie, sous prétexte que leur fourrure ou leur plumage contenaient trop de particules radioactives, pourquoi les vaches, les chevaux, les cochons et les moutons furent-ils évacués vers d'autres kolkhozes, au lieu d'être abattus ? La toison frisée d'une brebis retenait-elle moins de radio-nucléides que les poils d'un chien ? La réponse est aussi simple que terrifiante. À l'exception notoire de la période de la NEP [1], l'Union soviétique a souffert en permanence du manque

1. Abréviation russe de « Nouvelle politique écono-mique ». Cette politique, proclamée par Lénine en 1921 dans un pays ravagé par le communisme de guerre et la guerre civile, permit la création de petites entreprises pri-vées et offrit un répit aux paysans, avant la collectivisation accompagnée de purges. La NEP fut graduellement abolie vers la fin des années 1920.

de produits alimentaires. L'un des soucis de la direction soviétique fut donc d'assurer la récolte et de préserver le bétail des zones contaminées, ainsi que d'utiliser au maximum le lait, la viande, les céréales, malgré leur teneur importante en radionucléides.

Replongeons-nous dans les protocoles secrets du Politburo et dans leurs annexes tels qu'ils ont été publiés. Le ministère de la Santé soviétique avait osé augmenter de dix, voire de cinquante fois, les normes « de niveaux admissibles en matière d'irradiation » pour les humains ; de la même manière, il adopta, le 30 mai 1986, « les taux temporairement admissibles de matières radioactives dans les produits alimentaires, l'eau potable, les herbes médicinales ». En accord avec ces normes, le Comité central statua le 7 juin 1986 : « Considérer que la production agricole – viande, lait, légumes verts, baies, fruits provenant de territoires au taux de radiation inférieur à 2 milliröntgens/heure ; céréales, pommes de terre, radis et autres plantes rhizocarpées provenant de territoires au taux de radiation inférieur à 5 milliröntgens/heure (au 10 mai 1986) – peut être consommée par la population sans limitation, avec un contrôle sélectif obligatoire, alors que les produits agricoles en provenance des territoires à un niveau de radiation plus élevé seront soumis à un contrôle radiologique strict et, en cas de non-conformité aux normes, retirés de la circulation (rachetés à la popula-

tion au prix coûtant), pour un retraitement. »
Cependant, dans la même annexe au protocole
n° 22, le Comité central reconnaissait que les
républiques n'avaient pas les moyens d'assurer
le contrôle préconisé, en raison d'un manque
d'instruments. Il ordonnait que les instruments
de mesure pour un contrôle régulier de la radioactivité dans les produits alimentaires fussent
fabriqués dans les deux mois suivants. En fait,
ces instruments manquent encore à ce jour...

Pourtant, même après l'adoption de ces
normes « temporairement admissibles », il est
resté d'importantes quantités de viande qui
dépassaient les limites autorisées. Vers le mois
d'août 1986, les réfrigérateurs des « combinats
de viande [1] », en Biélorussie, en Ukraine et en
Russie, contenaient 10 000 tonnes de viande
impropre à la consommation, et l'on attendait
l'arrivée de 30 000 tonnes supplémentaires de
viande contaminée dans les quatre mois suivants. Pour éviter le gaspillage, voici quelle était
la recette des gestionnaires communistes :

> Afin d'éviter une grande accumulation som-
> maire de matières radioactives dans l'organisme
> humain suite à la consommation de produits
> alimentaires contaminés, le ministère de la
> Santé de l'URSS recommande de disperser au
> maximum la viande contaminée dans le pays et
> de l'utiliser pour la confection de charcuterie,

---

1. Usines intégrant abattoirs, boucheries et production de
charcuterie et de conserves.

de conserves et de produits cuisinés, en la mélangeant avec la viande normale, en proportion de 1 pour 10 [...].

Les Conseils des ministres de l'Ukraine et de la Biélorussie demandent à exporter la viande contaminée dans d'autres régions de l'URSS.

Le Comité d'État à l'agro-industrie soutient cette demande [...]. Il faut organiser le traitement de la viande en question, en la mélangeant avec la viande non contaminée en proportion de 1 pour 10, dans les combinats de viande de la plupart des régions de la Fédération de Russie (à l'exception de Moscou), de la Moldavie, des Républiques transcaucasiennes, des pays baltes, du Kazakhstan et de l'Asie centrale.

Ce texte fut signé par le président du Comité d'État à l'agro-industrie, Vsevolod Mourakhovski.

Que faire du lait? Dans sa note au président du Conseil des ministres de la Biélorussie, Mikhaïl Kovalev, le général Piotr Bourgassov, médecin en chef, chargé de la santé de l'URSS, constatait que dans quelques régions de Biélorussie le lait contenait trop d'éléments radioactifs et dépassait le niveau « temporairement admissible », ce qui compliquait la régularité de l'approvisionnement de la population locale [1]. Et voici la mesure que préconisa

---

1. La contamination radioactive y était au niveau de 1.10^{-7} curie/litre, ce qui dépassait le niveau « temporairement admissible », à savoir 1.10^{-8} curie/litre, décrété le 30 mai.

le médecin en chef de l'URSS (qui s'était illustré dans la recherche sur les armes biologiques sous Beria), pour faire face à cette situation désastreuse : « J'autorise le report de l'entrée en vigueur de la norme mentionnée ci-dessus au 1er novembre 1986. » Il fut donc permis de dépasser le niveau temporairement admissible, déjà bien plus élevé que ce qui était tolérable, partout où le lait était trop contaminé ! Seuls les jardins d'enfants et les écoles furent relativement épargnés : « Dans ces régions, il faut approvisionner les établissements d'enfants en lait répondant aux normes désormais en vigueur », conseilla Piotr Bourgassov. Mais à la maison, chez eux, les enfants n'avaient qu'à boire du lait hautement radioactif...

La préservation du bétail irradié et l'utilisation « judicieuse » de la viande et du lait contaminés ne furent pas les seules mesures prises par la direction soviétique, sur les conseils de l'establishment scientifique. En août 1986, le Groupe opérationnel du Politburo reçut un rapport de trois dirigeants du secteur agroalimentaire soviétique (seule la signature du président du Comité d'État à l'agro-industrie, Vsevolod Mourakhovski, est lisible) qui constataient la contamination de plus de 2,5 millions d'hectares de terres cultivables dans les régions de Kiev, Tchernigov, Gomel, Moguilev, Minsk et Briansk. Désormais, il ne s'agissait plus du rayonnement extérieur, mais bien de la pollution durable des sols, essentiellement au césium-137 [1].

Que faire de ces terres ? Pour les territoires où le taux du césium ne dépassait pas 15 curies/km^2 (1,6 million d'hectare), il fut prescrit de les cultiver comme avant, avec des contrôles radiométriques sélectifs. Pour les territoires où le taux du césium se situait entre 15 et 40 curies/km^2 (760 000 hectares), on préconisa de changer partiellement les cultures, en élargissant notamment la part du fourrage et en utilisant beaucoup d'engrais [2]. Le rapport prôna également une certaine diminution du nombre de vaches laitières, en faveur du bétail destiné à l'abattage : trois à quatre semaines avant de les envoyer à l'abattoir, on conseillait de nourrir les bêtes avec du fourrage non contaminé. Enfin, pour les territoires où le taux de césium dépassait 40 curies/km^2 (150 000 hectares), le rapport reconnut l'impossibilité d'y cultiver à l'avenir quoi que ce fût, mais proposa d'utiliser le grain et autres cultures déjà récoltés « pour la nourriture [...] du jeune bétail destiné à l'abattage dans la deuxième moitié de l'année 1987 ».

---

1. Il s'agit d'un élément radioactif, chimiquement toxique, qui se fixe dans les muscles car le corps le confond avec du potassium. La période du césium-137 est de trente ans.
2. À l'époque, on croyait que plus la récolte était bonne, plus le taux de contamination par le césium-137 baissait, car la même quantité de radionucléides était absorbée par davantage de plantes. En fait, le mécanisme est différent : les plantes absorbent moins de césium-137 si elles sont saturées par des engrais.

Certes, ces décisions furent dominées par des impératifs économiques – il n'était pas question d'augmenter, de façon considérable, l'achat de nourriture à l'étranger –, mais il faut souligner qu'à l'époque on ne soupçonnait pas encore les terribles conséquences, à long terme, de l'absorption de petites quantités de césium-137 via la nourriture. Et le principe de précaution ne figurait pas sur la liste des priorités politiques et économiques de hauts fonctionnaires soviétiques. Il leur fallait surtout accomplir le plan de la production agricole, nourrir la population et ne pas semer la panique.

Au fur et à mesure que les travaux de liquidation prenaient de l'ampleur, les structures bureaucratiques, en charge du problème, proliféraient et se ramifiaient. Après la Commission gouvernementale et le Groupe opérationnel du Politburo, on forma des commissions républicaines et des états-majors régionaux. On créa le Groupe opérationnel des troupes du ministère de la Défense de l'URSS stationné dans la région de Tchernobyl, avec des sections par armes, ainsi que des états-majors opérationnels de différents ministères et autres organismes participant aux travaux dans la zone de la catastrophe. Au sein du ministère de l'Énergie de l'URSS, on créa une direction spéciale pour exécuter et coordonner tous les travaux de liquidation, et pour superviser la construction d'une nouvelle ville où loger le personnel de la centrale, Slavoutitch. On mit sur pied un puissant organisme dénommé « Le Combinat », chargé spécifiquement de la décontamination de la zone, de ses bâtiments et constructions ; puis une autre gigantesque entreprise, « Le Complexe », chargée de traiter, de transporter et d'enterrer une quantité astronomique de déchets nucléaires. On installa également un Conseil scientifique de coordination auprès de l'Académie des sciences de l'URSS, ainsi que plusieurs centres de recherche et de coordination en charge de problèmes spécifiques. Bref, une trentaine de ministères participèrent aux travaux, avec l'aide des administrations régionales et locales de toutes les régions contaminées et des unités de l'armée.

Il va de soi qu'une machine bureaucratique de cette taille avait sa propre logique de fonctionnement. Des ministères et divers organismes se battaient pour des crédits, pour des postes, pour des promotions, ce qui eut pour effet d'augmenter le nombre d'opérations aussi inutiles que coûteuses en vies humaines. En effet, chacune de ces administrations envoyait des gens travailler sur le site de la centrale et dans les zones hautement contaminées. Dans ces conditions, combien étaient-ils donc, les liquidateurs ?

Du fait de ces directions multiples, mais aussi à cause du secret et du chaos qui régnaient sur place, il n'existe pas de réponse précise à cette question. Pour ceux qui sont de bonne foi et n'essaient pas de minimiser artificiellement le nombre des liquidateurs, les évaluations varient habituellement entre 600 000 et un million de personnes, sans que l'on indique si ce chiffre – variant presque du simple au double – concerne seulement les travaux de liquidation de la première période, celle qui a pris fin avec l'achèvement de la construction du sarcophage en novembre 1986, ou bien s'il comprend également tous ceux qui travaillèrent pour remettre en service le troisième bloc jumelé au quatrième (en décembre 1987) et ceux qui s'occupèrent de la décontamination de régions entières, de la construction de centaines de sites de déchets, de la surveillance de la zone interdite – travaux qui ne sont toujours pas achevés à ce jour.

Une annexe secrète au protocole n° 34 du Politburo, datée du 19 septembre 1986, permet néanmoins de peaufiner les évaluations : « Selon les données fournies par divers ministères et administrations, ainsi que par les Conseils des ministres de la Russie, de l'Ukraine et de la Biélorussie, plus de 500 000 personnes participent à la liquidation de l'accident et de ses conséquences. Les sections concernées du Comité central ont préparé des propositions pour distribuer, parmi ces personnes, des décorations d'État, en fonction de la difficulté et de la pénibilité des travaux accomplis. Le nombre total des décorations : 5 400 ordres et médailles (*cf.* la liste). »

Dans la liste en question sont énumérées diverses structures, avec le nombre de décorations pour leurs personnels respectifs affectés aux travaux de liquidation [1]. Si l'on considère qu'il y a en moyenne une personne décorée pour cent liquidateurs (5 400 décorations pour plus de 500 000 liquidateurs), on peut faire un décompte approximatif des personnels affectés aux travaux de liquidation, branche par branche.

Le ministère de l'Énergie nucléaire : 30 000 personnes ; le ministère de l'Énergie : 40 000 personnes ; le ministère des Constructions mécaniques moyennes [2] : 50 000 personnes ; le ministère de l'Aviation civile : 30 000 personnes ; le ministère de l'Intérieur : 50 000 personnes ; le ministère de la Santé : 40 000 personnes ; le ministère des Transports : 15 000 personnes ; le ministère des Mines : 30 000 personnes ; le ministère du Montage et des Constructions spéciales [3] : 300 000 personnes ; le ministère de

---

1. Comme toutes les entreprises étaient publiques, chaque secteur industriel se trouvait sous contrôle de « son » ministère. Par exemple, toutes les mines de charbon relevaient du ministère des Mines. Ainsi, lorsque l'on voit le chiffre de 30 000 personnes relevant du ministère des Mines et affectées aux travaux de liquidation, il s'agit essentiellement des mineurs mobilisés pour creuser la galerie sous le réacteur endommagé.
2. Plusieurs grandes usines étaient directement dirigées par ce ministère en charge du complexe militaro-industriel (dont le nucléaire).
3. À l'époque soviétique, ce ministère gérait plusieurs usines qui produisaient des engins de construction spécialisés, en grande partie pour le complexe militaro-industriel.

l'Eau : 10 000 personnes. Vingt autres ministères et comités d'État : 67 000 personnes. Enfin, le KGB et le Parquet de l'URSS eurent droit à 50 décorations (5 000 personnes) ; les bureaucrates des Conseils des ministres de la Russie, de l'Ukraine et de la Biélorussie, et des structures régionales et locales qui en dépendaient, s'en virent octroyer 1 350 (135 000 personnes) ; les activistes du Parti communiste et du komsomol, 60 (6 000 personnes) ; et l'Académie des sciences de l'URSS 20 (2 000 personnes).

Ces chiffres ne sont évidemment que des estimations, et il ne serait pas étonnant que la réalité ait été quelque peu différente. On peut en effet imaginer, par exemple, que la proportion des décorés ait été plus élevée chez les bureaucrates que chez les mineurs ou les chauffeurs de bétonnières, et que, par conséquent, la répartition chiffrée entre les bureaucrates et les vrais liquidateurs ne soit pas tout à fait celle qui apparaît ici.

Une chose est néanmoins claire : il s'agit là essentiellement des effectifs civils, à l'exception des troupes du ministère de l'Intérieur. Or les militaires ont joué un rôle de première importance dans le déroulement des travaux sur le site de la centrale et dans les zones contaminées, la charge la plus lourde incombant à des unités des troupes « chimiques », des troupes du génie et de l'armée de l'air. Le 29 mai 1986, le Comité central du PCUS et le Conseil des ministres décidèrent d'une mobilisation de grande envergure : on appela sous les drapeaux, « pour une durée allant jusqu'à six mois, un nombre indispensable (*sic !*) de réservistes, pour des exercices spécifiques ». En 1995, l'Académie des sciences ukrainienne constatait : « Au total, plus de 210 unités militaires comptant près de 340 000 hommes ont participé à la liquidation dont 24 000 militaires de carrière [...]. Vers la fin de 1986, les conscrits furent peu à peu remplacés par des réservistes âgés de plus de 30 ans. » On considérait que les hommes âgés de plus de trente ans n'étaient plus censés procréer !

Toutes ces données permettent de supposer, raisonnablement, qu'au moins 700 000 liquidateurs, civils et militaires, ont travaillé à la liquidation pendant la première année qui suivit la catastrophe – sans compter les administrations qui, pour la plupart, se tenaient à l'écart de la « zone des combats ». Ce qui rend vraisemblable l'estimation du nombre total des liquidateurs avoisinant, sinon dépassant, un million de personnes.

L'une des tâches essentielles de cette armada humaine fut la décontamination de tout ce qui était radioactif sur le site de la centrale, dans ses environs immédiats, mais aussi dans un rayon de plusieurs dizaines de kilomètres. La seule énumération des « objets » qu'il fallait décontaminer frappe l'imagination. Outre les travaux pour empêcher la pollution des eaux du bassin du Pripiat, du Dniepr ou de la Desna, et celle des eaux souterraines, il s'agissait du site gigantesque de la centrale (avec tous ses bâtiments, entrepôts et diverses installations), couvert, à des degrés divers, de fragments de combustible nucléaire, de morceaux de graphite et de poussière radioactive; de la ville de Pripiat et de la cité de Tchernobyl; de plusieurs centaines de kilomètres de routes; de la « forêt rousse » que l'on finit par abattre et enterrer entièrement; de centaines de localités où l'on décontaminait non seulement les rues, mais chaque cour et chaque maison, intérieur comme extérieur; des chemins de fer et des trains; des milliers de voitures, de camions, de grues, de bétonnières, d'engins motorisés qui circulaient sur le site et dans les zones polluées (à chaque passage de la zone « sale » vers la zone « moins sale », on les lavait avec une solution qui « clouait » la radioactivité au sol : il y eut donc des centaines de milliers de lavages); des équipements, des instruments, des vêtements, des chaussures de tous les personnels travaillant à la liquidation, chaque fois que quelqu'un sortait de la zone « sale ».

Comme tous les engins en métal (hélicoptères, camions, pelleteuses, grues, voitures, etc.) absorbent facilement les radionucléides, il fallut rapidement stocker non seulement les déchets radioactifs provenant de l'explosion (ils furent regroupés puis ensevelis sous le sarcophage), mais aussi, et surtout, mettre à l'abri ces matériels. Il fut également nécessaire d'enfouir les couches supérieures du sol arrosé par la solution décontaminante, et souvent, d'enterrer des villages entiers, trop radioactifs pour qu'une désactivation soit efficace.

À ce jour, 800 sites de stockage de déchets radioactifs, installés par l'armée, se trouvent dans la zone interdite. Mis à part ceux qui se trouvent sous le sarcophage, les déchets les plus radioactifs ont été stockés dans deux emplacements, sur le territoire même de la centrale : des fosses bétonnées, elles-mêmes recouvertes de béton. Pour les autres, la solution fut bien plus simple, bien que dangereuse : partout dans la zone, on a utilisé des ravins naturels ou on a creusé des fosses dans un sol sablonneux et on a recouvert le tout de sable, sans isoler ces déchets du sol. Pire : ces lieux de stockage n'ont pas été répertoriés, car tout s'est fait dans la précipitation. Quant aux grands engins comme les hélicoptères, les camions, les bétonnières ou les chars T-34, ils rouillent toujours dans un « cimetière » à ciel ouvert, à côté d'un village abandonné, Rossokha. Celui qui visite ce cimetière aujourd'hui a l'impression d'halluciner. Les capots de tous ces engins sont comme des gueules béantes de grosses bêtes affamées : vides ! Les moteurs et autres parties récupérables ont été prélevés depuis longtemps déjà par des pillards entreprenants, et vendus en dehors de la zone. Ces vols n'ont pu se produire sans la connivence des forces de l'ordre qui gardent la zone. Vassili Piassetski réussit à prendre une photo où des voleurs à Rossokha enlèvent un moteur à l'aide d'une grue! Une façon vraiment « efficace » de stocker les déchets nucléaires...

Mais revenons en arrière, aux premiers mois des évacuations et des opérations de décontamination. Après le départ de toute la population de la zone interdite, définie d'abord au compas par un rayon de 30 kilomètres autour de la centrale, la direction soviétique s'est trouvée devant une situation de plus en plus difficile à gérer : malgré des normes de « charge nucléaire admissible » artificiellement relevées, il fallut vider de leurs habitants des centaines de villages, les uns après les autres. 116 000 personnes durent abandonner différentes localités d'Ukraine et de Biélorussie, ainsi que de la région russe de Briansk, frontalière avec les deux républiques. Parmi les documents secrets du Politburo figurent, par exemple, deux listes de communes, situées hors de la zone interdite, dont « l'évacuation temporaire » fut préconisée le 25 mai 1986 : 32 villages biélorusses et 13 villages ukrainiens.

Parallèlement à ces déplacements de population, on procéda à l'aménagement de la zone interdite. Cette tâche revint aux unités du ministère de l'Intérieur qui furent ultérieurement chargées de garder « la zone ». Dans une annexe au protocole n° 25 du Politburo, daté du 24 juin 1986, on lit : « Dans la période du 3 au 20 juin 1986, le ministère de l'Intérieur de l'URSS assura, dans les délais impartis, la livraison de matériaux indispensables pour la construction de la clôture : 83 000 poteaux, 660 tonnes de barbelés, 500 tonnes de ciment... Les travaux pour construire la clôture de la zone interdite, d'une longueur totale de 195,9 km furent menés, du 8 au 20 juin 1986, par le ministère de l'Intérieur, le ministère de la Défense, avec la participation du ministère des Constructions mécaniques moyennes. » Ainsi naquit une bizarre réplique du Goulag : la zone où l'on voulut tenir l'atome prisonnier.

Cependant, malgré toutes ses préoccupations, malgré les dimensions du drame, la direction soviétique souhaitait tenir tête aux « rumeurs » hostiles qui circulaient en Occident. Le 11 mai 1986, deux semaines seulement après la catastrophe, le Politburo s'inquiétait : « Le camarade Pavlov nous informe que le nombre de touristes occidentaux a diminué de 20 % et que l'on s'attend à une baisse ultérieure en mai-juin. Noter que le Comité d'État au tourisme étranger n'utilise pas toutes ses possibilités pour contrecarrer cette tendance. Confier au camarade Pavlov, ensemble avec le ministère des Affaires étrangères de l'URSS, de renforcer le travail pour attirer les touristes étrangers en URSS. »

Oh! L'éternel village de Potemkine..

8
Un chantier pharaonique

La décision de couvrir d'une chape le réacteur sinistré fut prise vers la mi-mai 1986. La construction de cette chape fut considérée par le Politburo comme une tâche très urgente, car c'était la condition indispensable à la reprise du fonctionnement de la centrale dont trois autres réacteurs n'avaient pas été endommagés. C'était également un préalable incontournable à la décontamination – supposée définitive – de tous les territoires évacués, qui pourrait être suivie par un repeuplement éventuel de la ville de Pripiat et d'autres localités désertées et donc par une reprise de l'activité économique.

« L'élaboration d'un projet de *sépulcre*[1] pour l'enterrement définitif du quatrième bloc » figure parmi les mesures les plus importantes contenues dans le protocole secret du Groupe opérationnel du Politburo, daté du 13 mai. En russe moderne, le mot *moghilnik* n'a pas nécessairement une connotation religieuse : il peut

---

1. Nous soulignons.

désigner aussi bien une sépulture ancienne qu'un site de stockage de déchets nucléaires. C'est sûrement dans ce dernier sens que l'employaient les membres du Politburo. Mais comme il n'y a qu'un pas du sépulcre ou de la sépulture au sarcophage, on peut présumer qu'on doit le terme « sarcophage », aujourd'hui couramment utilisé, à la traduction d'un journaliste étranger. Dans les documents officiels, il ne fut jamais question d'un « sarcophage » : l'objet à construire portait un nom bien plus prosaïque, « l'abri ».

Avec des contreforts d'un côté et des terrasses de l'autre, le célèbre monolithe aux murs orbes qui contient le réacteur endommagé et des tonnes de déchets nucléaires les plus radioactifs ne correspond en rien à l'image d'un sarcophage. Par contre, le chantier de sa construction aurait pu prétendre au titre de « pharaonique » – non seulement à cause des dimensions gigantesques de la monstrueuse « pyramide », mais aussi en raison des conditions de travail des militaires et des civils qui y furent affectés. Selon plusieurs témoignages, pendant la première année qui a suivi la catastrophe, le travail manuel primait sur celui des engins ou des robots, en dépit du danger mortel auquel étaient soumis les liquidateurs. En effet, les machines devenaient « capricieuses » dans des champs de radiation très élevés qui perturbaient leurs systèmes électroniques fragiles ; et leur mobilité était réduite parmi les débris qui jonchaient le site, qui encombraient les locaux et couvraient les toits. La «chair à canon», elle, ne manquait pas. La Commission gouvernementale et la myriade de ministères et d'administrations qui en dépendaient pouvaient réquisitionner n'importe quels ouvriers ou spécialistes aux quatre coins de l'URSS. L'armée, en plus de ses contingents réguliers, avait le droit d'appeler des réservistes sans limitation. Certes, les liquidateurs qui touchaient des paies élevées (les salaires des personnes affectées aux endroits les plus dangereux étaient quintuplés) ne sauraient être comparés aux esclaves de l'Égypte ancienne, mais ce n'était pas pour rien que ceux qui exécutaient les travaux les plus dangereux se qualifiaient eux-mêmes de «robots biologiques».

Pour bâtir le sarcophage, plusieurs travaux préliminaires furent indispensables. On construisit en l'espace de vingt jours, entre fin juin et mi-juillet, trois usines de béton non loin de la ville de Tchernobyl. Aujourd'hui encore, on peut voir à une dizaine de kilomètres de la centrale une énorme estacade où arrivaient des bennes remplies de béton. Elles déchargeaient leur contenu dans des bétonneuses stationnées en contrebas, et ces dernières le transportaient vers le chantier. On évitait ainsi que les bétonneuses «sales» circulant dans le pourtour du réacteur explosé sortent de la zone la plus contaminée.

Cependant, l'approvisionnement du chantier en béton fut un problème relativement mineur.

En fait, comme la direction soviétique souhaitait remettre en marche le troisième bloc, mitoyen avec le quatrième, il fallut procéder à une opération dantesque : séparer ces « siamois » nucléaires unis par de nombreux liens. On décida de couper d'abord les communications, la tuyauterie, les constructions métalliques communes aux deux blocs. Ce travail qu'il fallait accomplir dans la proximité immédiate du réacteur explosé fut confié aux monteurs qui avaient fait l'installation d'origine et connaissaient bien les lieux. L'idée était de réaliser une coupe verticale, de 60 mètres de hauteur, entre les deux unités : cet espace serait ensuite rempli avec des matériaux isolants – des blocs de béton armé recouverts de feuilles de plomb – et l'on comblerait les moindres recoins avec du béton. À tour de rôle, les ouvriers se cachaient derrière les fondations, évaluaient la situation, couraient, saisissaient le chalumeau, faisaient une opération et revenaient à toutes jambes – chacun ne disposant que d'une minute. Ils préparaient leur « sortie » comme une opération militaire, en répétant leurs gestes dans des locaux relativement « propres » du troisième et du cinquième blocs (ce dernier resta inachevé), et en s'entraînant à manier divers instruments pour travailler au plus vite. Un témoignage résume les sentiments de liquidateurs : « Nettoyer des passages et dresser le mur entre le reste de la centrale et le bloc explosé, ce fut comme se relever, consciemment, pour aller à l'attaque sous le feu de l'adversaire, car il n'existait pas d'autre moyen de chasser l'occupant de notre terre natale [1]. » Les ouvriers étaient systématiquement accompagnés de « dosimétristes » qui contrôlaient leur exposition. Malgré ces précautions, les rems s'accumulaient rapidement [2] et les cadres expérimentés partaient, une équipe après l'autre. Des monteurs venus d'autres régions prenaient la relève.

Après la séparation des « siamois » vint le tour de la salle des machines – un gigantesque local qui desservait les quatre blocs de la centrale, avec une rangée de huit turbines. On isola tout d'abord par un mur la partie endommagée (elle fut ensevelie plus tard), puis on construisit une autre paroi, plus fine, entre les turbines du deuxième et du troisième blocs. Là aussi, il fallut surmonter d'énormes problèmes pour installer, à l'aide de grues, ces éléments préfabriqués.

Parallèlement aux préparatifs de la construction du sarcophage, on continuait à nettoyer (le plus souvent manuellement) le site de la centrale et les locaux des deux premiers blocs, pour les remettre en marche. Le 2 juillet 1986, le Groupe opérationnel du Politburo constatait, dans le protocole secret n° 26 : « Les travaux

---

1. Cité par Lenina Kaïbycheva, *Posle Tchernobylia* (Après Tchernobyl), *op. cit.*, qui décrit en détail toute l'opération.
2. La dose maximale « admissible » était de 25 rems. Ceux qui atteignaient cette limite devaient quitter immédiatement la zone contaminée.

dans les blocs n° 1 et n° 2 sont menés selon le calendrier prévoyant la reprise de leur fonctionnement en octobre 1986 [...]. La construction d'un village à Zeliony Mys, où 3 000 travailleurs seront logés à titre intermittent [1] dès octobre, vient de commencer. 1 500 travailleurs supplémentaires seront logés dans des bateaux spécialement aménagés. » C'est dans ce document qu'apparaît, pour la première fois, l'idée de construire une ville nouvelle pour les personnels de la centrale afin de pallier l'impossibilité – maintenant avérée – de repeupler Pripiat « dans les prochaines années ».

La Commission gouvernementale étudia une dizaine de projets pour le sarcophage. Mais même après qu'un choix définitif eut été arrêté, il fallut non seulement peaufiner des détails, mais improviser des solutions techniques. Car à chaque pas, les ingénieurs étaient confrontés à une condition *sine qua non* : le niveau de radiation permettait-il de travailler à tel endroit, et s'il y avait la moindre possibilité, comment procéder ? La construction se déroulait de la périphérie vers le centre ; les murs préservés servaient de fondations à la future construction qui allait avoir la taille d'un immeuble de vingt étages. Une fois la carcasse prête, elle fut recouverte de murs (dont certains atteignaient 18 mètres d'épaisseur !) et on installa pardessus un cadre métallique pesant 165 tonnes,

---

1. Le rythme était de quinze jours consécutifs de travail à la centrale, suivis de quinze jours de repos.

dans lequel on aligna des poutrelles métalliques de 28 et de 34 mètres de longueur, destinées à servir de support au toit.

Tout ce travail de haute précision s'effectuait majoritairement à distance, à l'aide de grues allemandes Liebherr et Demag. Entre liquidateurs, on plaisantait beaucoup : ainsi, ceux qui desservaient les grues Demag reçurent le sobriquet de « démagogues ». Mais la tâche des grutiers n'avait rien de drôle : ils étaient enfermés dans des cabines entièrement recouvertes de feuilles de plomb, sans visibilité, et ils exécutaient des ordres qui leur étaient transmis depuis le poste de commandement. D'énormes projecteurs fixés sur un aérostat éclairaient le chantier où l'on travaillait jour et nuit. Malgré un niveau élevé de radioactivité, cinq sous-stations électriques furent installées et des dizaines de kilomètres de câbles posés : on monta un réseau de caméras et de téléviseurs pour commander à distance ; on installa des éclairages et l'on pava des routes ; le sol irradié du site fut dallé. Au total, l'édification du sarcophage nécessita 300 000 m³ de béton et 6 000 tonnes de pièces métalliques.

Pour évaluer la situation à l'intérieur du quatrième bloc ou réparer certains défauts de construction inévitables lors du maniement à distance, des techniciens ou des ouvriers y étaient introduits à l'aide d'un « bathyscaphe » : une cabine recouverte de feuilles de plomb, transportée par une grue. Une fois dans les lieux non éclairés et jonchés de débris, il leur fallait courir à toutes jambes à travers des ruines pour apporter telle ou telle précision aux ingénieurs : le temps était compté.

L'une des opérations les plus spectaculaires et les plus complexes fut le nettoyage des toitures du troisième bloc sur lesquels étaient tombées des tonnes de combustible et de graphite dispersées par le réacteur explosé. Pendant tout l'été, on avait essayé d'utiliser des robots et divers moyens mécanisés, sans trop de succès. En septembre 1986, le temps commençait à presser. Or, comme en témoignent les protocoles secrets, le Politburo aiguillonnait sans relâche toute la hiérarchie en charge des suites de la catastrophe : il exigeait l'achèvement rapide du sarcophage et la remise en marche, plus ou moins simultanément, des deux premiers blocs. Mais leur exploitation aurait été trop dangereuse pour le personnel si l'on avait laissé des décombres radioactifs sur le troisième bloc : il fallait enfouir ces derniers sous le sarcophage avant l'achèvement de sa construction. Sur place, on décida donc d'envoyer des « robots biologiques » sur ces toits qui portaient de jolis noms de femmes : Katia, Léna, Macha et Natacha.

Le photographe Igor Kostine et le cinéaste Vladimir Chevtchenko ont immortalisé ces « robots » qui semblaient sortis tout droit d'un film glauque de science-fiction. Ancien liquidateur, le physicien biélorusse Gueorgui Lépine était l'un d'eux :

Quelques gars en uniforme fouillent dans un tas. Ils y prennent des « trucs » qu'ils essaient sur eux. Une fois enfilés, ces morceaux découpés dans de fines feuilles de plomb, difformes au premier abord, prennent l'allure d'habits de chevaliers : ce sont des gilets et des slips rigides [...] bien que froissés dans un combat avec un adversaire déchaîné. Vêtus de la sorte, les gars marchent « raides » – ils ne peuvent ni se pencher ni se tourner. Par-dessus cette armure, ils mettent un « smoking » en caoutchouc garni de plomb. L'accoutrement est agrémenté par des bottes, un casque, des lunettes et des moufles. Et avant d'aller « au contact », ils y ajoutent un respirateur. Avec ce « groin » qui couvre la partie restante du visage, l'homme ressemble à un extraterrestre : ses mouvements deviennent bizarres, comme si ses joints étaient coincés [...]. Il est difficile de travailler dans ce costume, et même de marcher. Mais les gens rôdent des heures durant dans des locaux, en attendant leur tour. C'est une atmosphère familière : toute notre vie, nous faisons des queues pour quelque chose. Et cette queue-là, c'est pour quoi faire?

Après avoir raconté les « mésaventures » de quelques robots immobilisés sur le toit, Lépine continue :

Avec des pelles, des balais, des ratissoires, des groupes précédents de « soldats-partisans » ont amassé un tas de débris. Et un nouveau groupe est en train de charger ce tas, à la pelle, dans un container. Mais ne sait-on pas qu'il n'est guère pratique de charger des morceaux d'armatures, de graphite et de béton à la pelle ? Grâce à la caméra, on voit bien, au poste de contrôle, quelle quantité infime on arrive à jeter dans le container. Et en une minute, on a seulement le temps de quatre ou cinq pelletées [...]. La sirène retentit. Voici que le soldat a déjà encaissé sa dose [...]. Pour un kilo de débris, en quelques instants, l'homme a pris une dose dépassant de plusieurs fois celle qui est autorisée pour des professionnels du nucléaire pour une année entière [1].

Selon diverses évaluations, entre 1 000 et 3 000 « robots biologiques » travaillèrent sur le troisième bloc entre le 20 septembre et le 1er octobre 1986. Gueorgui Lépine cite la phrase de l'ingénieur en chef de l'entreprise « Le Combinat », Komarov, devenue proverbiale parmi les liquidateurs : « Je vais envoyer des gens sur le toit : je vais brûler mille personnes, mais le travail sera fait dans les délais. » De l'avis du physicien, on ne peut comparer ce qui se passait alors là-haut qu'avec les époques les plus cruelles du Goulag et le début de la Seconde Guerre mondiale, où l'on avait expédié à la mort des milliers et des milliers de personnes pour compenser des erreurs grossières de la direction stalinienne.

Quel était l'ordinaire de ces masses de gens affectés aux travaux de liquidation très

---

1. Extrait du journal de Gueorgui Lépine tenu en 1986-1987 à Tchernobyl. Manuscrit confié à l'auteur.

dangereux pour leur santé? Ils dormaient dans des dortoirs installés dans les sous-sols de quelques locaux parmi les moins contaminés de la centrale, dans des tentes de camps militaires, dans des jardins d'enfants ou des bureaux désaffectés de la cité de Tchernobyl et même dans des bateaux amarrés dans son port fluvial. Des conduites d'eau et des canalisations endommagées, des produits alimentaires parfois avariés ou radioactifs, l'impossibilité de changer régulièrement les vêtements et les chaussures contaminés... Telles furent les conditions de vie des liquidateurs qu'évoquent plusieurs documents datant de l'été 1986 [1].

On ne dispose pas de chiffres concernant l'« équipement » des liquidateurs civils, mais certains sont connus pour les militaires. Le tableau est éloquent : durant les trente premiers mois des travaux, on a fourni aux militaires 210 000 tenues de protection ordinaires, 150 000 tenues de travail et 115 000 paires de chaussures [2]. Si l'on se souvient que les effectifs militaires comptaient au total 340 000 hommes, il en résulte que les mêmes tenues étaient lavées et relavées, et que les chaussures contaminées servaient à tour de rôle à plusieurs personnes. Il faut encore ajouter que le quotidien de ces liquidateurs, militaires

1. *Cf.* Lioubov Kovalevskaïa, *Tchernobyl « DSP ». Posledstvüa Tchernobylia* (Tchernobyl « Pour usage confidentiel ». Les conséquences de Tchernobyl), Kiev, Abris, 1995.
2. Cité in *Tchernobyl : katastrofa, podvig, ouroki i vyvody*, *op. cit.*

comme civils, était assuré essentiellement par des femmes : cuisinières, serveuses, ou encore blanchisseuses lavant à la main des vêtements pollués [1].

Quelques années plus tard, beaucoup de ces gens – surtout ceux qui travaillèrent dans les zones de haute radioactivité, pendant les premiers mois de liquidation – s'étaient retrouvés invalides ou étaient prématurément morts. Comme les circulaires officielles interdisaient aux médecins d'associer des pathologies qu'ils pouvaient observer au travail de liquidation – à l'exception du mal aigu des rayons ; comme les registres des liquidateurs sont incomplets ; comme les doses d'irradiation inscrites dans leurs carnets étaient le plus souvent fausses ; comme des unions d'anciens liquidateurs qui luttent pour leurs intérêts ne furent créées qu'à la fin de l'époque soviétique, on ne connaîtra jamais le véritable chiffre des victimes. Gueorgui Lépine (qui fut l'un des auteurs de la « loi Tchernobyl » adoptée en 1991 [2]) évalue le

---

1. « Des laveries automatiques n'étaient pas adaptées pour la désactivation quotidienne de vêtements » (*Tchernobyl « DSP »*, *op. cit.*).
2. La « loi sur la protection sociale des citoyens ayant subi des conséquences de la catastrophe de Tchernobyl » fut adoptée par le Soviet suprême de l'URSS, peu de temps avant l'éclatement de l'Union soviétique. Les lois inspirées de celle-ci furent ensuite reprises par les parlements de trois républiques issues de l'URSS : Biélorussie (fin 1991), l'Ukraine (fin 1991) et la Fédération de Russie (1995). Pour consulter les textes de ces lois, *cf. Iadernaïa entsiklopediïa* (L'Encyclopédie nucléaire), sous la rédaction d'Alla Yarochinskaya, Moscou, 1996.

nombre total de liquidateurs à plus de un million; les morts à plus de 20 000; enfin, les invalides, à 200 000 [1]!

Ces hommes et femmes – dont l'âge moyen était à l'époque de trente-trois ans, et qui jouissaient d'une excellente santé, souffrent aujourd'hui non seulement de maladies cardiovasculaires, de troubles de l'appareil digestif ou de cancers, mais aussi de désordres psychologiques, de problèmes neurologiques, du syndrome de fatigue chronique, et d'un vieillissement prématuré [2]. On est loin du rapport si optimiste publié par l'ONU en septembre 2005, qui dénombre cinquante-six morts (quarante-sept secouristes et neuf enfants victimes d'un cancer de la thyroïde) et estime que 4 000 personnes mourront probablement d'un cancer lié à Tchernobyl [3]

D'ailleurs, l'optimisme de l'ONU, et en particulier celui de l'Agence internationale pour l'énergie atomique, ne date pas d'hier. Voici,

---

1. *Cf.* son rapport au colloque « Health of Liquidators (Clean-up Workers) 20 years after the Chernobyl Explosion », Bern, 12 novembre 2005.
2. *Cf.* le rapport de Konstantin Loganovsky de l'Institut pour la radiologie clinique de l'Académie de médecine de l'Ukraine, lors du même colloque.
3. « Le legs de Tchernobyl : conséquences sur la santé, l'environnement et socio-économiques. » Ce rapport, préparé par des experts de l'Agence internationale pour l'énergie atomique (AIEA), de l'Organisation mondiale de la santé (OMS) et du Programme des Nations unies pour le développement (PNUD) fut présenté à Vienne en septembre 2005.

par exemple, le discours que tint le directeur général de l'AIEA, Hans Blix, après la catastrophe : « Ce dommage, au sens large, serait-il unique ? La puissance des blocs de la centrale de Tchernobyl est de 4 000 mégawatts. La production de la même quantité d'énergie avec du charbon provoquerait un certain nombre de pertes parmi les mineurs et les ouvriers chargés du transport, et la pollution causerait un certain nombre de cas mortels, des dommages à des forêts, des lacs, à la terre et aux villes, et elle serait à l'origine de cancers. Cela se produirait non pas à la suite d'un accident, mais dans des conditions de travail normales. De sorte que, même dans les circonstances actuelles, difficiles, et surtout dans un moment pareil, nous devons garder le sens indispensable de la proportion dans nos jugements [1]. » Hans Blix fut l'un des seuls Occidentaux que le gouvernement soviétique invita immédiatement à visiter l'URSS, du 5 au 9 mai, en lui donnant même la possibilité de survoler la centrale sinistrée en hélicoptère, en compagnie de l'académicien Velikhov. En août et en septembre 1986, l'AIEA a approuvé, lors de deux réunions de haut niveau international, le rapport soviétique de la catastrophe présenté par l'académicien Legassov, qui concluait à la prépondérance de l'erreur humaine dans le déclenchement de

---

1. Cité dans : *Tchernobyl : sobytiïa i ouroki, op. cit.* Ici, le texte de Hans Blix est traduit à partir du russe.

l'accident : c'était ce que souhaitait la direction soviétique qui n'entendait aucunement mettre en cause la fiabilité de son industrie nucléaire.

En janvier 1987, Hans Blix fit une nouvelle visite de la centrale dont l'activité avait alors redémarré, et il eut même l'occasion de s'exprimer à la télévision soviétique : « Je pense que la situation est stable et sûre. La remise en marche des deux blocs énergétiques est une grande réalisation du nucléaire civil de l'Union soviétique. Le bloc sinistré est entièrement recouvert et se trouve sous contrôle. » Sur proposition de Hans Blix, le gouvernement soviétique cessa d'envoyer à l'AIEA, à partir du 15 novembre 1986, des rapports réguliers sur la contamination causée par la catastrophe : du point de vue du directeur de l'Agence, ce n'était plus indispensable...

Face à des interlocuteurs moins « amicaux » que Hans Blix (qui arbore un sourire radieux sur plusieurs photos d'Igor Kostine, lors de ses visites de la centrale), les autorités soviétiques restaient sur leurs gardes, comme le révèlent les protocoles secrets du Politburo. Plusieurs propositions d'aide venues des gouvernements occidentaux et même des pays socialistes furent rejetées : « Accepter l'avis des ministères de la Santé et de la Défense de l'URSS sur l'inopportunité de la proposition britannique d'envoyer en URSS un groupe de cancérologues et de spécialistes de décontamination » (26 mai 1986) ; « Considérer comme inopportune la proposition du ministère de l'Industrie de la République populaire de Hongrie d'envoyer leurs spécialistes pour participer aux travaux de liquidation à la centrale de Tchernobyl » (28 mai 1986).

Malgré la politique de *glasnost* inaugurée par Mikhaïl Gorbatchev, l'espionnite aiguë continuait de sévir. Le 7 août 1986, dans une lettre portant la mention « confidentielle », le ministre de la Santé Sergueï Bourenkov rapportait au président du Conseil des ministres de l'URSS, Nikolaï Ryjkov : « La proposition française de mettre à disposition de notre pays un wagon spécial équipé d'appareils permettant de mesurer les rayonnements ionisants dans le corps humain, et en particulier, ceux du césium-137, représente un certain intérêt. Cependant, on ne peut exclure que ce wagon puisse être équipé de capteurs cachés permettant de ramasser les informations sur les niveaux de contamination de nos territoires par des radionucléides, ainsi que d'appareils pour enregistrer des conversations et d'autres instruments techniques. D'autant plus que, selon cette proposition, le wagon devra retourner, d'ici quelques mois, en France. »

Autre perle : les États-Unis, qui souhaitaient ouvrir un consulat à Kiev, demandèrent une autorisation, pour leurs experts, de prendre des mesures de radioactivité dans la capitale ukrainienne, pour s'assurer que rien ne menaçait la santé du personnel diplomatique américain ;

en août 1986, ils essuyèrent un refus. Dans la deuxième moitié de septembre, le ministère des Affaires étrangères de l'URSS demanda au Politburo d'autoriser la démarche américaine, car à l'ouverture d'un consulat américain à Kiev devait correspondre, par réciprocité, celle d'un consulat général soviétique à New York. Et le ministère de préciser : «Les Américains ne pourront prendre des mesures de radioactivité que sur les lieux de leur future habitation, en présence de spécialistes soviétiques. Ni la démarche elle-même, ni ses résultats ne seront rendus publics. »

Pendant l'automne 1986, les liquidateurs continuaient à travailler à un rythme endiablé. À l'occasion de la «fin » des travaux sur le toit du troisième bloc (en réalité, les lieux étaient loin d'être propres), la Commission gouvernementale exigea que des liquidateurs érigent un drapeau soviétique sur la cheminée commune aux deux unités «siamoises», pour symboliser la victoire. Tout le monde connaît la célèbre photo des soldats soviétiques dressant le drapeau rouge sur le toit du Reichstag, le jour de la victoire sur l'Allemagne nazie. À Tchernobyl, le rôle d'Evgueni Khaldeï, le photographe soviétique auteur de la mise en scène de Berlin, fut dévolu à Igor Kostine, mais cette fois-ci tout allait se passer pour de vrai. Une équipe de pilotes se chargea d'abord de la tâche, en espérant installer la hampe de deux mètres (en laiton) à partir d'un hélicoptère. Après deux tentatives infructueuses, trois liquidateurs montèrent l'échelle qui menait au sommet de la cheminée de ventilation, haute de 75 mètres, pour y planter le drapeau. Mais la cheminée et son échelle n'avaient pas été décontaminées, et cet exploit futile coûta cher aux liquidateurs. Alexandre Iourtchenko, le chef de l'équipe de « dosimétristes-éclaireurs » (qui faisaient de la reconnaissance radiologique avant chaque opération), souffrit d'un mal aigu des rayons et, selon un témoin, un autre « alpiniste » mourut dans le train, sur le chemin du retour de la centrale. Pour une photo où l'on distingue à peine le minuscule drapeau rouge...

Le premier bloc nouvellement en service fut inauguré en octobre 1986, le second, en novembre de la même année. Le 14 décembre 1986, la *Pravda* informait ses lecteurs que « la Commission gouvernementale [avait] réceptionné le complexe de constructions protégeant le bloc énergétique endommagé. Le réacteur détruit n'est plus une source de contamination radioactive de l'environnement », trompettait le journal du Parti communiste.

Si le réacteur endommagé, transformé en un gigantesque site de déchets contaminés, était désormais relativement bien isolé (moins de dix ans plus tard, on constatera la présence de trous d'une surface totale avoisinant 1 000 m^2), les radionucléides absorbés dans les sols, à des centaines de kilomètres du lieu de l'accident, devinrent une source de contamination quodienne pour des millions de personnes. La ville de Pripiat, puis la zone de 30 kilomètres autour de la centrale avaient été évacuées, mais au fil des jours, à fur et à mesure de nouveaux contrôles radiologiques, la situation est apparue de plus en plus grave. Ainsi, le 10 juillet 1986, le Groupe opérationnel du Politburo s'inquiétait : « À ce jour, il n'existe pas de recommandations précises de spécialistes quant à la possibilité et aux délais d'un retour des populations dans les endroits où le niveau de la radiation se situait entre 5 et 20 milliröntgens/heure, ainsi que d'un retour des enfants et des femmes enceintes dans les endroits où ce niveau restait dans la limite de 2 à 5 milliröntgens/heure. »

Parmi les documents secrets du Politburo, la lettre du correspondant des *Izvestia* en Biélorussie, Nikolaï Matoukovski, adressée au rédacteur en chef Ivan Laptev, est fort édifiante. Envoyée de Minsk à Moscou par télex, le 8 juillet, elle porte une mention destinée aux télétypistes : « Ne montrer ce télégramme à personne, sauf au rédacteur en chef, détruire la copie. » Matoukovski écrivait : « [...] la situation radiologique en Biélorussie s'est considérablement compliquée [...]. Selon tous les canons médicaux, le fait que des gens vivent dans ces régions [de Moghilev] leur fait courir un énorme risque [...]. Je vous en informe par télétype, car toutes les conversations téléphoniques à ce sujet sont catégoriquement interdites chez nous ».

Le Politburo entendit-il ce cri d'alarme d'un journaliste ? Rien n'est moins sûr. Certes, d'un côté, il prit la décision, le 23 juillet, d'évacuer 47 localités supplémentaires. Mais de l'autre, le Groupe opérationnel continua à rechercher des possibilités de renvoyer chez eux les enfants et les femmes enceintes qui avaient été évacués après l'accident. Le 23 juillet 1986, en vertu des recommandations « des camarades Izrael, Akhromeïev et Bourenkov », il autorisa le retour immédiat d'enfants et de femmes enceintes dans 237 localités sur 458. Il fit de même, mais à partir du 1er octobre, dans 174 localités supplémentaires, à condition d'une « exclusion obligatoire de la nourriture contaminée » de leur alimentation. L'annexe secrète au protocole secret, signée du trio en question, conserva pour la postérité leurs recommandations honteuses :

« 1. Autoriser le retour d'enfants et de femmes enceintes dans toutes les localités où la dose sommaire d'irradiation ne dépassera pas 10 rems au cours de la première année (237 localités).

« 2. Autoriser, à partir du 1er octobre 1986, le retour d'enfants et de femmes enceintes dans les localités où la dose sommaire d'irradiation dépassera 10 rems (si on ne limite pas la consommation des produits contaminés), mais avec l'exclusion obligatoire de leur alimentation de produits contaminés (premièrement, du lait), afin d'assurer le non-dépassement de

10 rems d'irradiation sommaire (174 localités). »

Il est impossible de comprendre à quel titre
un président du Comité d'État à l'hydrométéorologie, Izrael, et un ministre de la
Défense, Akhromeïev, signaient un avis
d'experts concernant un problème médical inédit : ces populations, ayant déjà subi le choc
d'une exposition importante aux rayonnements
ionisants, allaient être désormais exposées – à
vie! – à des petites doses de radiation. Il est
encore plus inconcevable qu'un ministre de la
Santé, Bourenkov, condamne plusieurs milliers
de femmes et d'enfants à une dose d'irradiation
de 10 rems, voire plus, en une seule année,
alors que la dose sommaire pour toute une vie
décidée par les sommités sanitaires soviétiques
était de 35 rems [1]; alors que les liquidateurs
ayant encaissé une dose de 25 rems avaient
l'obligation de quitter immédiatement la zone
dangereuse; alors que les instruments pour
mesurer la radioactivité des produits alimentaires faisaient cruellement défaut dans les
zones contaminées. Tout cela, le Politburo le
savait pertinemment. Ne faut-il pas y voir le
signe d'une solidarité unissant des fonctionnaires de très haut rang au moment où ils

---

1. Cette conception fut violemment critiquée au Premier
Congrès pansoviétique de radiobiologie (Moscou, août
1989) et réfutée par les Académies des sciences de
l'Ukraine et de Biélorussie comme « infondée » dès l'acces-
sion de ces pays à l'indépendance.

commettaient un crime contre leur propre peuple, un crime contre l'humanité?

Si plusieurs décisions erronées des hautes instances soviétiques au cours de la « liquidation » s'expliquent plutôt par le caractère inédit de la catastrophe de Tchernobyl, il y en eut une, de taille, qui mérite d'être qualifiée de criminelle : la remise en marche du troisième bloc fixée à l'automne 1987. C'est pour réactiver ce bloc que l'on procéda à l'opération de la séparation entre les « siamois »; que l'on envoya des soldats sur les toits et que l'on procéda, après l'achèvement du sarcophage, aux travaux de décontamination dans ses locaux. Le jugement de Gueorgui Lépine est sans appel :

> Avec l'arrivée du [premier] printemps [après la catastrophe], tous les travaux autour du troisième et du quatrième blocs ont été réactivés. Enlèvement du sol contaminé, nouveaux revêtements de voies d'accès et de routes, etc. On a l'impression de se trouver dans une fourmilière renversée [...]. Les niveaux de radiation sont encore élevés [...]. Or, il est indispensable de mettre en marche le troisième bloc afin de convaincre le monde entier que la catastrophe de Tchernobyl n'est pas si terrible, puisqu'on peut même exploiter le bâtiment mitoyen avec le quatrième bloc [...]. Mais le troisième bloc est très « sale ». Surtout, à la suite de la décision incroyablement « intelligente » de laver son toit avec des lances à incendie : l'eau mélangée aux débris radioactifs a coulé directement, à travers des brèches dans le toit, à l'intérieur des

locaux. L'évaluation objective de l'état du troisième bloc aurait dû convaincre [les autorités] de l'inopportunité de sa remise en marche [...]. Si on avait décidé de ne pas réactiver le troisième bloc [...], la plupart des travaux menés dans le périmètre du troisième et du quatrième blocs n'auraient pas eu lieu ou, au moins, auraient été remplacés par d'autres incomparablement plus simples et moins dangereux. En particulier, ceux effectués sur les toits du troisième bloc se seraient avérés inutiles : de toute façon, on a fini par bétonner toutes ces toitures. Plusieurs dizaines de milliers de personnes condamnés à devenir invalides ou mourir prématurément seraient restés en vie et en bonne santé !

Lépine décrit une scène poignante du « nettoyage » du troisième bloc un an après la catastrophe :

Des camions avec des « soldats-partisans » arrivent les uns après les autres [...]. On les amène à tous les étages du bloc. Ils grouillent partout en raclant et en ramassant tout ce qui « rayonne ». Détail intéressant : seul le chef de chaque équipe a un dosimètre. Ayant défini le lieu exact du travail de son équipe, il part dans un endroit bien plus propre. Et là, son dosimètre fixe la dose, qui ne correspond en rien à celles qu'encaissent les soldats [...]. Combien de gars ont-ils souffert des conséquences catastrophiques de cette subtile « organisation de travail » ?

Il reste à raconter encore une entreprise que l'on pourrait considérer comme criminelle : la construction de la cité nouvelle de Slavoutitch pour reloger le personnel de la centrale. Car ne pas pouvoir reloger des habitants d'une zone contaminée est une chose, mais y édifier une ville en est une autre. Sur la demande du Groupe opérationnel du Politburo (en date du 13 août 1986), le Conseil des ministres de l'Ukraine étudia les possibilités de bâtir à proximité de la centrale. Il proposa un site près du village Nedantchitchi de la région de Tchernigov, à 38 kilomètres de la centrale. Plusieurs raisons étaient invoquées, notamment l'existence d'une ligne de chemin de fer qui faciliterait le transport des matériaux et rendrait ainsi le chantier moins onéreux. La conclusion du ministre de l'Énergie de l'URSS, Anatoli Maïorets, et de celui de l'Énergie nucléaire de l'URSS, Nikolaï Loukonine, allait dans le même sens. Tous prirent en compte la nécessité de respecter les normes radiologiques pour des « localités de ce type lors d'un travail normal d'une centrale » où la dose annuelle par habitant ne dépasserait pas 0,5 rem. Au total, « la charge » que subirait le personnel pendant le travail, les trajets et le temps passé chez soi ne devait pas dépasser 5 rems/an. Quatre localités répondaient à ces critères, mais le village de Dymer, par exemple, situé à 68 kilomètres de la centrale, moins contaminé que Nedantchitchi, fut éliminé en raison « des doutes quant à la possibilité de créer une collectivité stable de la centrale à cause de la proximité de la ville de Kiev ».

Les gestionnaires communistes réfléchissaient aux moyens de « fixer » la population de Slavoutitch. Dans ses conclusions, le Conseil des ministres de l'Ukraine suggérait de favoriser la construction de petits immeubles et de « cottages », avec des parcelles de terre, pour occuper le personnel pendant ses jours de « repos intermittent » (quinze jours de travail suivis de quinze jours de repos ou une semaine divisée en quatre et trois jours). Mais comment cultiver son potager dans des sols contaminés au césium-137? À ce propos, Bourenkov et Izrael tinrent à rassurer le vice-président du Conseil des ministres de l'URSS, Boris Chtcherbina : « La contamination au césium-137 doit être particulièrement prise en compte lors de la décision sur l'emplacement précis de la cité où l'on planifie d'emblée la présence de potagers, et par conséquent, la production et la consommation de produits alimentaires locaux. Dans les années suivantes, les doses causées par le césium-137 vont considérablement baisser, car la période du " semi-nettoyage " du sol de la présence de ce radionucléide est approximativement de quatorze ans. »

Dans ces conditions il n'est pas étonnant que les employés de la centrale ne se soient pas montrés pressés de s'installer à Slavoutitch. Le

6 janvier 1988, le Groupe opérationnel du Politburo constatait : « La situation concernant la formation d'une collectivité stable à la centrale de Tchernobyl est tendue. Certains collaborateurs qui ont obtenu des logements modernes à Kiev refusent de déménager dans la nouvelle ville de Slavoutitch. » Quelles furent les mesures préconisées pour remédier à cette situation ? À côté du « travail éducatif » visant à démontrer au personnel que la vie à Slavoutitch ne présentait pas de danger pour la santé, on envisageait des mesures coercitives, comme l'interdiction d'octroyer le statut de résident permanent à Kiev aux collaborateurs de la centrale [1] ou le licenciement de ceux qui refuseraient de s'installer à Slavoutitch.

La ville était à ce point « non dangereuse » que Iouri Izrael et le nouveau ministre de la Santé de l'URSS, Evgueni Tchazov, préparèrent des recommandations à l'intention du président du Conseil des ministres de l'URSS, Nikolaï Ryjkov, dans lesquelles ils préconisaient notamment des « nettoyages sanitaires réguliers des rues et des potagers individuels » ou « l'organisation de parcs autour de la ville, après l'enlèvement de la couche d'humus contaminé et l'abattage sélectif de certaines portions de la forêt ».

---

1. Sans le statut de résident permanent, les gens n'avaient aucun droit légal de rester à Kiev. Le système de la *propiska* (droit de résidence) était l'un des moyens utilisés à l'époque soviétique pour fixer la population là où les autorités en avaient besoin.

La construction de Slavoutitch fut la dernière manifestation de « l'amitié des peuples soviétiques ». Huit républiques de l'URSS y participèrent, chacune apportant des éléments de styles architecturaux nationaux : la Fédération de Russie, l'Ukraine, la Lituanie, la Lettonie, l'Estonie, la Géorgie, l'Arménie et l'Azerbaïdjan. Dans son numéro du 12 février 1988, le journal *Vetcherni Kiev* (Kiev soir) qualifiait Slavoutitch de « ville du futur, cité du XXIe siècle » !

En fait, cette ville, bâtie dans le voisinage immédiat de la zone morte et interdite, devint surtout un symbole puissant de la nature cynique du pouvoir communiste. De façon programmée, les personnels de la centrale, déjà irradiés pendant l'accident et les travaux de liquidation, devaient continuer à « tenir » pendant des années sous les rayonnements ionisants, pour assurer le plan de production de l'énergie électrique et former les nouveaux cadres. Et au moment où ils décideraient de partir, ils devraient libérer leurs cottages (considérés comme des logements de service), sans aucune assurance d'obtenir ailleurs une habitation de qualité équivalente.

Que ressentent aujourd'hui les ouvriers estoniens ou arméniens qui ont travaillé à la construction de Slavoutitch ? Et les soldats ouzbeks ou kirghizes qui ont participé à la liquidation ? Dans leurs pays nouvellement indépendants, ces oubliés de l'histoire ne

jouissent pas des aides ni des maigres privi-
lèges accordés aux liquidateurs dans les trois
républiques slaves : la Russie, l'Ukraine et
la Biélorussie. Plus encore que l'idéologie
communiste, l'amitié entre les « peuples frères »
de l'URSS a éclaté comme une bulle de savon.

Mais la réalité de Tchernobyl, elle, résiste
toujours. Voici le pronostic que l'Académie des
sciences d'Ukraine publiait en 1995, au sujet
du plutonium :

L'isotope principal Pu-239 a une demi-vie
de 24 390 ans. Mais, il s'est également produit
un rejet, en quantité 250 fois plus importante,
de Pu-241, qui subit la désintégration bêta
(avec une période de 13,2 ans) et se transforme
en Am-241. Or, l'élément Am-241 (avec une
période de 458 ans), émetteur de rayonnements alpha, représente un danger encore plus
grand que Pu-239. Par conséquent, nous
observerons dans l'avenir une augmentation de
la quantité d'émissions alpha dans le sol. Ce
qui signifie donc l'élargissement de la zone
interdite et, probablement, le reclassement de
certaines zones « sûres » en zones « dange-
reuses ». Cette perspective n'est pas très
éloignée. Dans dix ans, les émissions alpha
auront doublé par rapport à la situation
actuelle, et ce niveau continuera à augmenter
encore pendant quarante ans, pour garder
ensuite un niveau stable pendant des milliers
d'années, avec une baisse graduelle pendant
des millions d'années, car Am-241 se transforme, grâce à la désintégration alpha, en

Np-237 dont la période est de 2,14 millions d'années. De cette façon, la présence des éléments transuraniens rappellera toujours la catastrophe de Tchernobyl aux générations futures !

Conclusion
Effondrement soviétique
et loterie négative

On a souvent affirmé que le programme de
« Guerre des étoiles » lancé par Ronald Reagan
a joué un rôle essentiel dans l'affaiblissement
du régime soviétique. Certes, l'effondrement de
ce régime fut accéléré par l'effort démesuré
qu'il fit pour « tenir tête » aux Américains dans
une conjoncture économique défavorable, mais
les causes profondes de cette chute sont multiples.

Parmi elles, la catastrophe de Tchernobyl
occupe certainement une place éminente. La
mobilisation de près de un million de travailleurs et de militaires, le nettoyage du site de
la centrale, la construction du sarcophage, la
décontamination de dizaines de milliers de
kilomètres carrés de territoire, la construction
d'une ville nouvelle, Slavoutitch, et de plusieurs nouveaux villages afin de reloger près de
200 000 personnes, les soins sanitaires et médicaux aux personnes atteintes du mal des rayons
et des diverses pathologies liées à l'irradiation,
les allocations spéciales versées aux populations

concernées pour l'achat de nourriture « propre », tous ces frais ont lourdement grevé le budget de l'URSS. Cet effort-là fut probablement l'une des raisons majeures de l'abandon de la course aux armements par le leader soviétique Mikhaïl Gorbatchev inaugurant subitement une « nouvelle pensée ».

Pourtant, indépendamment des difficultés économiques que rencontrait le régime, celui-ci ne se serait probablement pas effondré si le nouveau secrétaire général avait décidé de maintenir à tout prix le carcan idéologique, comme le font aujourd'hui les Chinois ou les Cubains. Pourquoi Gorbatchev a-t-il donc laissé la liberté gagner rapidement du terrain ? Par pur idéalisme ? Par souci de plaire à ses partenaires occidentaux ? Quoi qu'il en soit, il convient de se demander quel rôle Tchernobyl joua dans ce relâchement. Ce rôle pourrait être double : d'un côté, la catastrophe a dépouillé le régime d'une partie de sa légitimité, et de l'autre, Tchernobyl est devenu un puissant catalyseur de l'éveil des populations soviétiques.

Le désastre de la centrale bâtie en Ukraine démontra en effet avec éclat que la direction soviétique n'était pas toute-puissante : malgré des efforts pharaoniques, les conséquences de la catastrophe ne furent pas vraiment liquidées – le sarcophage fut construit et la centrale rouvrit, mais près de neuf millions de personnes ont continué à vivre dans les territoires durablement contaminés. Comme le nucléaire symbolisait la puissance du régime, c'est cette puissance même qui a explosé avec le réacteur n° 4. À ce propos, Michèle Descolonges parle d'une « perte de la foi communiste après Tchernobyl [1] » : pour la première fois dans l'histoire de l'URSS, le pouvoir se trouva désemparé et impuissant devant l'ampleur d'un « accident » qui sapait son autorité. Le dogme idéologique affirmait que le Parti-État paternaliste avait le devoir de nourrir, d'éduquer, de soigner et de protéger les populations. Son incapacité à remplir ces obligations, sa piteuse gestion de cette crise gravissime de l'après-guerre, ses silences et ses mensonges sur les conséquences de la catastrophe à court et à long termes soulevèrent un véritable mouvement de colère. Dans une société qui avait oublié, depuis des générations, ce que signifiait la liberté de parole, d'association, de culte ou le droit de grève, le drame de Tchernobyl secoua l'imaginaire populaire et donna naissance à des mouvements écologistes de masse, avec des protestations de plus en plus violentes. En 1989, on perçoit déjà, sur une photo d'Igor Kostine, une énorme foule de manifestants à Kiev qui réclament un « Nuremberg de Tchernobyl », sous des drapeaux nationalistes bleu et jaune officiellement interdits à l'époque. Sur une autre image de Kostine, on voit le député ukrainien du

---

1. Dans *Expériences de la perte* (sous la direction de Michel Juffé), Paris, PUF, 2005.

Congrès des députés du peuple[1], Iouri Chtcherbak, montrer, lors d'un meeting, une circulaire secrète du ministère de la Santé de l'URSS enjoignant aux médecins de ne divulguer aucune information sur la santé des populations irradiées. Le réalisateur ukrainien Gueorgui Chkliarievski reproduit cette scène dans son célèbre documentaire *Le Microphone* (1990) : lorsque l'on essaie de couper le micro devant Chtcherbak qui proclame « Honte à nos dirigeants ! », la foule se met à scander : « Mi-cro-phone ! Mi-cro-phone ! »

Tchernobyl contribua donc vivement à la formation de la contestation nationale ukrainienne. La force de cette dernière explique la position négative de l'Ukraine vis-à-vis du nouveau traité d'Union, sous forme fédérale ou confédérale, que proposait Mikhaïl Gorbatchev, ainsi que l'adhésion du dirigeant ukrainien Léonid Kravtchouk au « complot » de la forêt de Biélovej qui mit fin à l'existence de l'URSS[2]. Il est certain que sans la participation ukrainienne, ce « complot » aurait échoué et l'histoire soviétique aurait emprunté une direction différente.

---

1. Le Parlement soviétique issu des réformes constitutionnelles de Gorbatchev.
2. En décembre 1991, Boris Eltsine, Léonid Kravtchouk et Stanislav Chouchkevitch (le numéro un biélorusse) se sont rencontrés dans la résidence de campagne de ce dernier, près de Minsk. Ils s'accordèrent alors sur la décision de démanteler l'URSS. Sur ces jours fatidiques et la position ukrainienne, *cf.* Mikhaïl Gorbatchev, *Mémoires*, Monaco, Éd. du Rocher, 1997.

Si Tchernobyl a contribué indirectement à l'éclatement de l'Empire soviétique, en revanche, ce démantèlement eut des conséquences néfastes pour ceux qui avaient « subi » la catastrophe. Les anciens liquidateurs se trouvèrent dispersés aux quatre coins d'un immense pays qui se transforma en un clin d'œil en une mosaïque d'États indépendants où ils eurent à se battre (pas toujours avec succès) pour la reconnaissance de leur passé héroïque, les allocations et l'accès aux soins qui leur étaient dus. Selon le sociologue ukrainien Evgen Golovakha, la vision héroïque qu'ils avaient eu de leur travail en 1986-1987 a cédé la place à une psychologie de victimes, de martyrs, de personnes rejetées par la société, condamnées et devenues inutiles. Pour le commun des mortels, ces gens sont apparus comme des vestiges d'un passé soviétique révolu (tout comme l'accident de Tchernobyl lui-même) : ils ne semblent plus dignes ni de respect ni de considération, de même que les vétérans d'Afghanistan ou de la Seconde Guerre mondiale paraissent plus encombrants que vénérables. Dans les « économies de marché » qui se sont installées sur les décombres du socialisme, les exploits qu'ils ont accomplis au péril de leurs vies n'ont pas beaucoup de valeur. Quant aux habitants des territoires contaminés, ils continuent de vivre dans le stress posttraumatique : en plus des cancers et d'autres pathologies provoquées par l'exposition constante à de petites doses de

radiation, ces populations, et tout particulièrement les personnes déplacées, souffrent d'un
grand inconfort psychologique, d'un complexe
d'infériorité, et de dépression [1].

Après vingt ans, on peut parler d'un « État de
Tchernobyl » au centre de l'Europe de l'Atlan-
tique à l'Oural où règnent le mal de vivre et le
désespoir. Près de neuf millions de personnes
dont deux millions d'enfants vivent sur près de
160 000 km² de terres contaminées, en Russie,
en Ukraine et en Biélorussie. Sur soixante-
dix-sept pages grand format, la très sérieuse
« Encyclopédie nucléaire » publiée à Moscou
énumère, en accord avec les actes officiels des
trois pays, les « localités contaminées à la suite
de l'accident dans la centrale nucléaire de
Tchernobyl [2] ». Cette liste comprend près de
14 000 localités (!), réparties en quatre zones.
La première, zone interdite autour de la centrale, du côté ukrainien et du côté biélorusse,
s'étend sur près de 10 000 km². La deuxième
est celle d'un « relogement obligatoire », et la
troisième, celle d'un « relogement volontaire ».
Autant de subtilités pour faire comprendre que
les lieux ne sont pas propices à l'habitation,

---

1. Pour les conséquences médicales, *cf.*, par exemple,
l'aperçu de Michel Fernex, « La santé après Tchernobyl »,
dans *Les Silences de Tchernobyl, op. cit.*, et Yuri Bandazhev-
sky, *Medical and biological effects of radiocesium incorporated
into the human organism*, Minsk, 2000 ; pour une analyse
des conséquences à la fois politiques, morales et sanitaires,
cf. Adriana Petryna, *Life Exposed, Biological Citizens after
Chernobyl*, Princeton, Princeton University Press, 2002.
2. *Iadernaïa entsyklopédiïa, op. cit.*

bien qu'ils soient encore en partie habités. Enfin, la quatrième zone comprend les terres plus faiblement contaminées (1 à 5 curies/km^2) où la vie est possible, à condition de rester sur ses gardes : ne pas manger de baies ni de champignons, contrôler le lait de vache, faire de même avec les légumes et les fruits de son lopin de terre, et s'ils contiennent du césium-137, ne pas les consommer (mais de quoi se nourrir alors ?), et en général, veiller à sa santé (mais comment faire si l'on n'a ni médecins, ni infirmières, ni instruments de mesure à proximité ?).

Le mal ne s'arrête pas là. Pendant son « tour du monde », le nuage de Tchernobyl frôla au passage un milliard de personnes. On commence à en connaître certaines conséquences (par exemple, pour les cancers de la thyroïde en France [1]), mais il y a probablement des effets que l'on ne pourra jamais ni quantifier ni attribuer avec certitude à la catastrophe du 26 avril 1986. Voici ce qu'explique l'académicien Dimitri Grodzinski, président de la Commission nationale ukrainienne sur les conséquences de Tchernobyl : « Par rapport aux petites doses de radiation, on peut parler d'une action purement somatique : si l'accumulation des radionucléides dans le corps humain est insignifiante, l'organisme peut rester sain.

---

1. *Cf.* Jean-Michel Jacquemin-Raffestin, « Le nuage qui s'est arrêté à la frontière », dans *Les Silences de Tchernobyl*, *op. cit.*

Mais il existe aussi un effet stochastique [1] de la radiation. Qu'est-ce que c'est? Si une seule cellule de l'organisme, sous l'impact d'un seul photon gamma, s'est génétiquement transformée en une cellule cancéreuse, une tumeur maligne va se développer. Mais on ne peut affirmer qu'une petite dose de radiation provoque un petit cancer, alors qu'une dose massive provoque un gros cancer. Une petite dose peut suffire tout aussi bien à provoquer un cancer fatal. Seule la fréquence de ces événements stochastiques dépend de la dose. C'est comme une loterie négative où l'on tire un billet qui vous garantit la mort. Plus la dose est grande, et plus " la chance " de tirer ce billet-là est grande. Mais si on a tiré le billet, le résultat sera le même, quelle que soit la dose. Or, si la vie de chaque homme est unique, si n'importe quel homme, même le plus ignoble, représente un contenu spirituel infini, comment admettre ces morts? »

N'oublions jamais qu'à notre insu, nous avons tous participé à cette loterie.

---

1. Des phénomènes sont dits « stochastiques », lorsqu'ils ne sont pas déterminés de manière absolue, lorsque leur survenue est en partie le fruit du hasard.

Bibliographie

ACKERMAN, G., GRANDAZZI, G., et LEMARCHAND, F. (dir.), *Les Silences de Tchernobyl*, Paris, Éd. Autrement, 2006 (nouvelle édition augmentée et mise à jour).

ALEXIEVITCH, S., *La Supplication. Tchernobyl, chroniques du monde après l'apocalypse*, Paris, Jean-Claude Lattès, 1998 (réédition J'ai lu, 2000).

BELBÉOCH, B. et R., *Tchernobyl, une catastrophe. Quelques éléments pour un bilan*, Paris, Allia, 1993.

CHARPAK, G., GARWIN, R.L., et JOURNE, V., *De Tchernobyl en Tchernobyls*, Paris, Odile Jacob, 2006.

COUMARIANOS, P., *Tchernobyl après l'apocalypse*, Paris, Hachette Littératures, 2000 (réédition J'ai lu, 2003).

CRIIRAD et PARIS, A., *Contaminations radioactives : Atlas France et Europe*, Barret-sur-Méouge, Yves Michel, 2002.

HERBAUT, G., *Tchernobylsty*, Gallargues-Le-Montueux, Éd. Le Petit Camarguais, 2003.

JACQUEMIN, J.-M., *Ce fameux nuage... Tcherno-byl*, Paris, Éd. du Sang de la terre, 2003 (nouvelle édition revue et augmentée).

– *Tchernobyl : aujourd'hui les Français malades*, Monaco, Éd. du Rocher, 2001.

– *Tchernobyl, conséquences en France. J'accuse!*, Paris, Éd. du Sang de la terre, 2002.

KOSTINE, I., *Tchernobyl, confessions d'un reporter*, Paris, Éd. Les Arènes, 2006.

MEDVEDEV, G., *La Vérité sur Tchernobyl*, Paris, Albin Michel, 1990.

MONTAUBRIE, A., *La Presse russe et la catastrophe de Tchernobyl (1986-1995), représentations et mémoire*, GRHI, université de Toulouse-II, 1996.

RENAUD, P., BAUGELIN, K., MAUBERT, H., LEDENVIC, P., *Les Retombées en France de l'accident de Tchernobyl. Conséquences radio-écologiques et dosimétriques*, Paris, EDP Sciences, « IPSN », 1999.

Sous l'épaisseur de la nuit. Documents et témoignages sur le désastre de Tchernobyl, Paris, Association contre le nucléaire et son monde (Éd.), 1993.

STRAZZULLA, J., et ZERBIB, J.-C., *Tchernobyl*, Paris, La Documentation française, 1991.

YAROCHINSKAYA, A., *Tchernobyl, vérité interdite*, La Tour-d'Aigues, Artel/Éd. de l'Aube, 1993.

Table

Table

COLLECTION FOLIO

*Ouvrage reproduit
par procédé photomécanique
Impression Société Nouvelle Firmin-Didot
à Mesnil-sur-l'Estrée, le 2 mars 2007.
Dépôt légal : mars 2007.
Numéro d'imprimeur : 82335.*

ISBN 978-2-07-034092-7/Imprimé en France.